Chères lectrices,

C'est à peine si nous l'avons vue venir, cette rentrée, tant nous étions absorbées par les vacances ! Pourtant, certains signes auraient dû nous mettre sur la voie : les grands magasins qui, dès le mois d'août, commencent à arborer des vêtements aux couleurs automnales ; les arbres dont le feuillage se met à roussir ; le temps qui devient plus incertain…

En dépit de cela, nous avons préféré faire comme si de rien n'était, nous habillant coûte que coûte en petites robes légères, prolongeant ainsi l'illusion de vacances éternelles !

Ces derniers jours, pourtant, impossible de le nier : la rentrée s'est bel et bien installée. D'ailleurs, finalement, n'est-ce pas pour le mieux ? L'oisiveté a du bon, mais nous finissions par nous en lasser. L'esprit léger, bien reposées, joliment dorées par le soleil, ne sommes-nous pas dans les meilleures conditions pour attaquer le tourbillon de ce mois de septembre ? Et puis, que les plus récalcitrantes d'entre nous se rassurent : les prochaines vacances ne sont pas si loin…

D'ici là, je vous souhaite une bonne rentrée et une excellente lecture !

La responsable de collection

D0674587

Un amour inoubliable

CAROLINE ANDERSON

Un amour inoubliable

COLLECTION AZUR

éditions Harlequin

*Cet ouvrage a été publié en langue anglaise
sous le titre :*
THE PREGNANT TYCOON

Traduction française de
MONIQUE LÉVY

HARLEQUIN®

est une marque déposée du Groupe Harlequin
et Azur ® est une marque déposée d'Harlequin S.A.

*Toute représentation ou reproduction, par quelque procédé que ce soit, constituerait
une contrefaçon sanctionnée par les articles 425 et suivants du Code pénal.*
© 2004, Caroline Anderson. © 2005, Traduction française : Harlequin S.A.
83-85, boulevard Vincent-Auriol, 75013 PARIS — Tél. : 01 42 16 63 63
Service Lectrices — Tél. : 01 45 82 47 47
ISBN 2-280-20425-8 — ISSN 0993-4448

1.

Bon anniversaire, Izzy ! Trente ans, le bel âge ! C'est formidable !

Izzy sentit son sourire se crisper et dut faire un grand effort pour prendre un air naturel. Il lui semblait que son visage allait se craqueler comme un masque. Coincée depuis deux heures au fond de cet horrible canapé de luxe, elle supportait d'un air serein toutes les plaisanteries. Mais là, vraiment, elle n'en pouvait plus. Si elle ne réussissait pas à s'échapper avant cinq minutes, elle allait sûrement se mettre à hurler ! Et très fort !

Oui, c'était son trentième anniversaire et pourtant, cette soirée ne lui était pas vraiment dédiée, même si elle se trouvait fêtée par ceux qui l'entouraient. Tous ces gens étaient réunis pour célébrer la fulgurante réussite de leur société, qu'elle avait sauvée de la faillite. Ils étaient très gais bien entendu, et Izzy ne voulait pas passer pour rabat-joie en se montrant la seule à faire grise mine parmi ses amis.

Des amis ? C'était une façon de parler. A part Kate, son bras droit, elle connaissait la plupart de ces personnes depuis moins d'un an. Et s'ils lui manifestaient autant de sympathie, elle savait bien pourquoi… D'ailleurs, quand elle tentait de l'oublier, les journaux se chargeaient de le lui rappeler en lui attribuant un tas de surnoms d'un humour douteux. « La tueuse » ou « la prédatrice », par exemple, pour ne retenir que les derniers en date. Tout cela parce qu'elle avait eu l'audace de restructurer avec une certaine fermeté les différentes branches de l'entreprise de manière à redresser la barre. Mais évidemment, on ne pardonnait pas ce genre de succès à une femme, surtout aussi jeune !

Une fois seulement, sa chance l'avait abandonnée et Izzy avait fait un faux pas. Aussitôt, la presse s'était déchaînée. Ensuite, elle avait si bien réussi qu'elle aurait pu se permettre de prendre sa retraite et vivre de ses rentes. Mais il n'en était pas question. Qu'aurait-elle fait de sa vie ? En dehors de ses activités professionnelles, Izzy ne voyait devant elle que le vide le plus total… Un désert.

Mais non, c'était ridicule. Tout allait bien ! Elle habitait un superbe appartement avec vue sur le fleuve près de Canary Wharf, elle avait la meilleure assistante du monde en la personne de Kate, elle pouvait s'offrir tout ce qu'elle désirait ! Sauf la douceur d'un foyer, bien entendu… C'était la seule ombre au tableau.

Dans la presse à sensation, on parlait plus d'elle que des têtes couronnées. Chacune de ses liaisons amoureuses devenait la romance du siècle ! C'était absurde parce que la plupart des hommes étaient si effrayés devant elle qu'ils prenaient la fuite avant même de s'aventurer jusqu'à sa chambre ! Résultat : elle n'était entourée que de gens qui ne la connaissaient pas.

A cette pensée, Izzy soupira discrètement. Et elle, se connaissait-elle ?

— Excusez-moi, dit-elle en se levant brusquement pour aller faire un tour aux toilettes.

Elle avait besoin de quelques minutes de répit. Mais Kate lui emboîta le pas et l'aborda d'un air inquiet.

— Izzy, ça va ?…

— Oui, très bien ! Quelle charmante soirée ! Tous ces gens sont parfaits, ils vont me manquer.

Kate la suivit jusqu'aux lavabos en papotant. Décidément, elle n'aurait jamais droit à un instant d'intimité ! Sa fidèle assistante et amie arborait un joyeux sourire.

— Je me souviens du jour de mes trente ans. La première chose que j'ai faite, c'était d'aller voir sur Internet ce qu'étaient devenus mes anciens copains de jeunesse.

Kate se lança dans un récit détaillé de ses amusantes découvertes sur Internet, mais Izzy ne l'écoutait plus. Les mots « anciens copains » avaient fait tilt dans son esprit et elle revivait ses propres souvenirs d'une époque bénie… Elle se revoyait soudain dans son Suffolk natal, douze ans plus tôt, en ce merveilleux été qui clôturait ses années de lycée, juste avant l'entrée en fac. Elle était partie camper avec ses amis dans la nature, et elle avait passé un mois d'août plein de gaieté et d'insouciance. Où étaient-ils tous maintenant ?

Rob et Emma, Julia, Sam et Lucy… et Will ! Son cœur fit un bond. Will ? Où se trouvait-il aujourd'hui ? Will qui l'avait embrassée sous un saule au bord de la rivière… C'était la première fois qu'elle avait ressenti un tel émoi, et cette plénitude avait duré de longues semaines ! A ce souvenir, une douloureuse sensation l'envahit.

A la rentrée, elle s'était inscrite à l'université alors que ses copains partaient courir le monde. Mais au bout d'un an, Will était revenu avec une incroyable nouvelle : Julia et lui allaient se marier !

Pour Izzy, c'était comme si le monde s'écroulait. Son amie Julia qu'elle aimait comme une sœur lui avait pris l'homme de sa vie ! Izzy avait alors décidé de ne plus jamais le revoir et s'était jetée à corps perdu dans ses études pour tenter de l'oublier. Et depuis, elle n'en avait jamais eu de nouvelles. Parfois, elle se demandait ce qu'il était devenu, s'il était encore avec Julia, s'ils avaient eu des enfants… Ressemblaient-ils à leur père ?

Avaient-ils hérité ses cheveux noirs et son regard bleu malicieux qui faisait battre son cœur si fort autrefois ?

Izzy respira profondément pour tenter de chasser de sa poitrine cette oppression trop familière. Le miroir lui renvoya l'image de grands yeux verts mélancoliques sous des cheveux bruns frisés. Son visage aux traits fins ne lui paraissait pas très digne d'admiration, même si elle savait qu'il était loin d'être laid. Quant à son sourire… où était-il passé ? Izzy en avait assez de se forcer, mais elle le devait pourtant. Elle s'exerça encore une fois pour croiser le regard de Kate dans la glace.

— C'est bon ?

— Oui, ça va, retournons là bas.

Elle savait que Steve l'attendait. Un garçon doux, bien élevé, conformiste, et incapable d'éveiller en elle le moindre désir. Mais ce n'était pas sa faute, et il n'était pas le seul. Rien ni personne ces derniers temps ne parvenait à susciter en elle le moindre intérêt. Même son travail ne la passionnait plus du tout. Elle était en proie à une sorte de malaise indéfinissable qui la rendait sans cesse maussade ou nerveuse.

— Je commençais à croire que tu cherchais à me fuir, Isabella ! dit Steve avec un sourire horripilant.

— Mais non, voyons, ce serait trop beau ! rétorqua-t-elle en riant, ce qui parut le décontenancer quelque peu.

— Tu ne te sens pas bien, Bella ?

Elle se garda de lui révéler qu'elle avait une horrible migraine car il aurait sauté sur l'occasion pour la raccompagner et elle ne savait plus comment repousser ses avances. D'autant qu'avec sa chance habituelle, elle aurait trouvé sur son chemin un photographe ou deux pour faire tout un roman de leur prétendue idylle.

— Je vais très bien, et cesse de m'appeler Bella, pour l'amour de Dieu !

Pour toute réponse, Steve se contenta de son sourire habituel, aussi vide qu'indifférent. Elle se demandait ce qui serait capable

10

d'émouvoir cet homme. L'argent, certainement — peut-être la raison pour laquelle il la courtisait. Sans doute songeait-il qu'en l'épousant, il deviendrait riche et aurait ainsi toutes les femmes à ses pieds !

Steve posa quelques doigts délicats sur son bras nu et les fit courir lentement jusqu'à son épaule d'un air distrait.

— Nous ne nous voyons pas assez, Isabella. J'aimerais que nous passions une autre soirée ensemble cette semaine, nous pourrions aller dîner quelque part. J'aimerais te voir dans un endroit plus intime.

— Ah ça, ce n'est pas très difficile ! marmonna-t-elle entre ses dents.

Elle n'avait même pas la force de l'envoyer au diable et il prit sa réponse pour un oui tacite. Il s'empressa de lui donner rendez-vous et même de lui préciser quel genre de tenue elle pourrait porter dans le restaurant en question ! Elle n'en pouvait plus.

Izzy réussit à tenir encore une heure environ, mais sur le coup de minuit, elle s'éclipsa enfin pour rentrer chez elle en taxi malgré les protestations de son chevalier servant. Un endroit plus intime ? Elle n'en connaissait qu'un : son appartement tranquille où elle pouvait enfin goûter une bienheureuse solitude !

Sitôt entrée, elle se déchaussa et se versa un grand verre d'eau fraîche avant de s'affaler sur son canapé, les jambes allongées sur le cuir blanc moelleux et le regard perdu sur le ciel étoilé. Au-dessous, les lumières de la ville scintillaient par milliers. Elle songea à tous ces gens qui avaient des vies bien remplies, en famille ou dans des lieux de divertissement, comme les nombreux bars qui pullulaient dans ce quartier du centre-ville.

Après avoir retiré les épingles à cheveux qui retenaient sa lourde chevelure en chignon, elle se mit à masser ses tempes douloureuses. La migraine cessa peu à peu et elle renversa la tête sur le gros coussin en fermant les yeux. Elle eut un instant envie d'ouvrir les larges baies pour aller respirer sur la terrasse, mais elle y renonça en imaginant la rumeur de la ville, les sirènes de police et tout le vacarme du trafic. Elle avait toujours gardé la nostalgie de la campagne. Le souvenir de ses merveilleuses vacances de jeune fille en pleine nature la hantait toujours. La nuit était si belle alors, bruissante de mystère…

Soudain, elle se leva pour allumer son ordinateur. Les paroles de Kate avaient réveillé sa curiosité. Après une courte recherche sur le site dont Kate lui avait donné les références, elle trouva tout d'abord le nom de Rob. Il avait laissé un message pour tous ses anciens amis, les informant qu'il avait épousé Emma et qu'ils vivaient encore tous les deux au village avec leurs trois enfants !

C'était incroyable qu'ils soient restés là-bas après si long-temps ! Izzy en ressentit une curieuse émotion, qui ressemblait presque à de la jalousie. Mais c'était idiot ! Son propre sort était certainement bien plus enviable. Elle avait eu la réussite, l'argent, la notoriété, une vie magnifique, non ? Elle avait tout ! Sauf… Will. Voilà ce qu'elle avait manqué dans sa vie.

En ravalant un stupide sanglot, elle décida de laisser un message à Rob et Emma en leur donnant son numéro de télé-phone. Ils l'appelleraient sûrement et lui donneraient peut-être des nouvelles des anciens amis.

— Michael ! Si tu ne commences pas tes devoirs, je confisque ce jeu électronique ! Je ne le répéterai pas ! Rebecca ! Beccy, où es-tu ? Viens ranger tes affaires pour une fois !

La fillette entra sans se presser avec une moue résignée et entreprit de ramasser ses livres de classe épars sur le sol pour les mettre dans son cartable. Puis elle se hâta de ressortir sans un regard pour son père.

Will passa la main dans ses cheveux en soupirant. Il lui restait encore à faire ses comptes, remplir des imprimés pour régler quelques problèmes administratifs, et ensuite il devrait aller s'occuper des brebis. Il commençait à faire moins froid, le mois d'avril s'annonçait et de nombreux agneaux allaient naître encore.

La sonnerie du téléphone le força à lever les yeux de ses maudits papiers.

— Oui, ici la Ferme de la Vallée.

— Salut, c'est Rob. Je voulais m'assurer que tu n'avais pas oublié notre petite fête.

Will eut un léger coup au cœur.

— Non, je n'ai pas oublié. Euh… quel jour est-ce, déjà ?

— Vendredi, voyons ! A 20 heures à la maison, d'accord ? On compte sur toi ! Si tu ne venais pas, Emma en ferait une maladie !

— Je ferai tout mon possible, Rob. J'essaierai de m'échapper une heure ou deux, mais tu sais, c'est l'époque de l'agnelage, alors je ne peux rien promettre.

— Oh là là ! Tes agneaux, tu n'as qu'à en faire des gigots, mon vieux ! Viens, pour une fois !

Sans lui laisser le temps de répondre, Rob avait raccroché. Will reposa le récepteur en maugréant. Ses amis ne voulaient décidément rien savoir. C'était leur dixième anniversaire de mariage et les trente ans d'Emma. Comment pourrait-il y échapper ? Il n'avait pas le choix. Mais la perspective de cette soirée ne l'enchantait pas du tout et il se promettait de ne rester que peu de temps. Deux heures tout au plus pour faire son devoir d'amitié, et puis il reviendrait chez lui pour…

Pour s'occuper des brebis ? Bon prétexte pour oublier qu'il reviendrait seul, comme d'habitude, et se coucherait seul dans son grand lit, seul entre ses quatre murs… Il reprit ses paperasseries en soupirant. C'était la seule occupation qui l'empêchait de trop penser !

Au bout d'un moment, il se leva et se dirigea vers la porte en notant au passage que Michael s'était installé pour faire ses devoirs devant la télévision. Quant à Rebecca, elle était pelotonnée sur le canapé avec le chat et le chien couchés contre elle. Il enfila sa vieille veste et ses bottes de caoutchouc.

— Je vais voir les animaux. Beccy, au lit dans vingt minutes, et Michael dans une heure au plus tard !

Dehors, la nuit était claire et glacée. En ouvrant la porte de la bergerie, il sentit l'odeur chaude des moutons qui dormaient tranquilles dans la paille. De l'autre côté, on n'entendait que le souffle des chevaux. Les agneaux nouveau-nés semblaient tous en bonne forme et il ressortit pour jeter un coup d'œil sur le poulailler. Rien à signaler. Dans le pré jouxtant la maison, on distinguait la silhouette des vaches sagement couchées dans l'obscurité.

Il termina l'inspection par l'écurie. Les chevaux ne lui appartenaient pas mais se trouvaient seulement chez lui en pension. Il vérifia qu'ils étaient bien attachés haut contre la cloison de bois et ne manquaient ni d'eau ni de litière.

Avant de rentrer, il alla s'accouder à la barrière pour contempler et respirer cette belle nuit calme d'avril. Au loin, un cri d'oiseau nocturne retentit faiblement. Et puis un frou-frou d'ailes dans le silence proche, sans doute une chouette en train de chasser.

Will se dirigea alors vers l'autre bout de la cour pour contourner la maison. De ce côté, il y avait eu pas mal de changements depuis quelques années. La vieille grange avait été transformée en échoppe où étaient mis en vente les produits de la ferme, les uns frais, les autres mis en conserve par sa mère. Un peu plus loin, dans une autre dépendance, son père qui travaillait le bois vendait des meubles de jardin, des jouets traditionnels, des échelles et divers autres objets fabriqués sur place.

Quant au pré bordant la rivière, il était devenu une pelouse où on avait planté de beaux saules pleureurs et installé quelques bancs de bois. Il fallait bien rendre le décor agréable pour attirer les touristes, même si l'entretien de cet environnement représentait un travail supplémentaire.

Car Will n'avait pas abandonné la récolte des céréales. Là encore, il avait changé ses habitudes pour se lancer dans la culture organique, d'où le surcroît d'obligations légales pour mériter l'appellation « bio ». Tout cela en plus des soucis concernant les dettes, car il avait dû prendre un emprunt pour assurer tous ces investissements. C'était un peu une folie et il lui faudrait des années pour y retrouver son compte, mais il n'avait pas eu le choix.

Il revint d'un pas lent, en songeant que malgré tout, son avenir et celui de ses enfants semblait assuré. En poussant la porte, il aperçut Beccy qui s'enfuyait vers l'escalier. Il s'approcha de Michael en souriant.

— Alors, fiston ?

— Je n'ai plus que mon devoir de français à terminer.

— Alors, je te laisse, ce n'est pas mon point fort, je ne peux pas t'aider !

Il monta au premier pour voir si Rebecca était au lit. Elle s'y trouvait bien et faisait semblant de dormir.

— Je suis sûr que tu as oublié de te laver les dents ! dit Will en lui chatouillant la joue.

Elle dut se relever pour s'exécuter, puis revint se coucher en lui adressant un regard suppliant.

— Dis, papa, tu me lis une histoire ?

Will prit un livre sur l'étagère, s'assit au bord du petit lit et malgré sa fatigue commença la lecture.

— Papa ?

Will se réveilla en sursaut et se frotta les yeux.

— Que se passe-t-il, Michael ? Quelle heure est-il ?

— Presque dix heures. Tu t'es endormi.

Will vit que Rebecca dormait à poings fermés contre son épaule et se dégagea avec douceur pour la coucher sur l'oreiller.

— Désolé, Michael.

— Tu as l'air épuisé, papa. Tu travailles trop.

Will hocha la tête et passa tendrement la main dans les cheveux du jeune garçon.

— Ne t'inquiète pas. Je suis costaud, tu sais !

Il avait l'impression de parler pour se convaincre lui-même.

— Emma ? C'est toi ?

Au bruit de la porte d'entrée, Rob repoussa sa chaise et tourna le dos à l'ordinateur pour regarder sa femme.

— Que se passe-t-il, Rob ? Tu en fais une tête ! On dirait que tu viens de voir un fantôme !

— C'est presque ça ! Tu te souviens d'Isabel Brooke ? Figure-toi qu'elle m'a envoyé un e-mail ! Elle a laissé son numéro de téléphone. Qu'en penses-tu ? On l'appelle ?

Emma haussa les épaules.

— Oh, la fameuse Isabel Brooke ! Eh bien, pourquoi ne pas l'inviter à notre soirée ?

— Tu plaisantes ! Elle n'a sûrement aucune envie de venir s'embêter à notre petite fête de provinciaux !

Emma fronça les sourcils avant d'éclater de rire.

— Comment cela ? Notre fête sera la plus extraordinaire que l'on ait vue dans ce comté depuis des siècles ! De toute façon, tu ne risques rien à le lui proposer, tu verras bien si elle accepte ou non.

— Mon amour, tu me confondras toujours par ta sagesse ! plaisanta Rob en la prenant par la taille.

16

Il se leva pour l'embrasser.

— Je l'appellerai demain. Ce soir, j'ai d'autres projets, mon cœur !

Kate passa la tête par la porte entrouverte.

— Isabel ? Un appel pour toi, un certain Rob… Tu le prends ou dois-je lui dire que tu es en réunion ?

Izzy eut une moue négligente.

— Sois gentille, Kate, dis-lui de rappeler, je n'ai pas le temps. Mais… il ne t'a donné que son prénom ?

— Oui, il a dit que tu saurais qui il est.

Izzy hésita avant de se tourner vers ses interlocuteurs.

— Pouvez-vous m'excuser un instant, je vous prie ? Kate va vous servir une tasse de café, j'en ai pour une minute.

Elle sortit pour rejoindre son bureau et s'empara du téléphone, le cœur battant.

— Isabel Brooke.

— Isabel ! Je commençais à croire que tu m'avais laissé un message dans un moment d'ivresse et que tu l'avais oublié ensuite !

Izzy reconnut aussitôt la voix malicieuse de son vieil ami et un large sourire s'épanouit sur ses lèvres. Elle s'installa confortablement dans son fauteuil et croisa les jambes.

— Je ne me rappelais pas t'avoir donné mon numéro professionnel, ce doit être par erreur. Ici, je n'ai pas une minute à moi, en général !

— Tu ne me l'as pas donné, je l'ai cherché dans l'annuaire pour être certain de te joindre plus vite. Alors, Izzy, comment vas-tu depuis tout ce temps ?

— Très bien, et vous deux ? Trois enfants déjà, d'après ce que j'ai lu sur le site des retrouvailles ! Je suis impressionnée !

Rob eut un léger rire.

— Il n'y a pas de quoi : c'est très facile à faire, tu sais ! Tout le monde va bien, mais rien à signaler d'exceptionnel dans notre vie. Pas comme toi !

— Oh, tu sais, tout ça est arrivé sans que je réalise vraiment ce qui se passait.

Soudain, elle mesurait le côté dérisoire de sa réussite face au bonheur familial de ses amis. Elle soupira discrètement.

— Ecoute, Rob, là je ne peux pas te parler très longtemps, mais j'aimerais beaucoup vous revoir, Emma et toi. Crois-tu que ce serait possible ?

— Mais oui, justement, c'est pour ça que je t'appelle ! Emma et moi organisons une grande fête pour notre dixième anniversaire de mariage et nous serions très heureux de te compter parmi nous.

— J'en serais ravie. Donne-moi la date.

— Eh bien, si je l'avais pu, je t'aurais avertie plus tôt, voilà… c'est demain soir ! Je sais que tu es très prise, mais ce serait vraiment bien si tu pouvais te libérer. Il y aura un tas de vieux copains qui seront enchantés de te revoir.

Izzy sentit sa gorge se nouer. Rob avait bien dit : « un tas de vieux copains » ?

— C'est génial ! Je te promets de faire tout mon possible pour me joindre à vous. Ecoute, je ne peux vraiment pas bavarder plus longtemps, c'est dommage, mais je vais te passer ma secrétaire qui va noter votre adresse exacte et tous les détails. Merci, Rob, je t'embrasse !

Elle fit signe à Kate qui s'empressa de prendre l'appareil. Elle lui demanderait un peu plus tard de réserver un hôtel pour elle dans la région et de décommander Steve avec qui elle devait dîner le lendemain soir. Elle se hâta de rejoindre la salle de réunion en essayant de se concentrer et d'arborer un sourire serein.

— Je vous prie de m'excuser pour ce contretemps, déclara-t-elle aimablement en ouvrant la porte.

Au volant de sa voiture, Izzy se sentait dans un état de nervosité indescriptible C'était totalement ridicule. Elle avait été confrontée dans sa vie à un tas de situations difficiles ou intimidantes, et chaque jour elle devait faire face à de nombreux problèmes. Pourquoi un événement aussi ordinaire prenait-il soudain autant d'importance ?

A cause de Will ? Bien sûr, elle avait songé tout de suite qu'il était peut-être invité lui aussi. Et avec Julia ! Mon Dieu ! Comment allait-elle réagir ?

Elle venait de quitter l'autoroute pour prendre une nationale et se répétait le nom du village pour ne pas manquer l'embranchement. Douze ans qu'elle n'était pas venue dans la région ! Elle se souvint d'une vieille chanson qui disait : « il ne faut jamais revenir sur ses pas… ». Etait-ce bien raisonnable ?

Mais elle croyait au destin. Si elle avait tout à coup éprouvé si fort l'envie de revoir ses vieux amis, ce ne devait pas être par hasard.

La maison était en vue. Bientôt, elle se garait sur un terre-plein devant le portail parmi les nombreuses voitures déjà stationnées là. Une dernière fois, elle jeta un coup d'œil dans le rétroviseur pour vérifier son maquillage. Et puis elle se força à hausser les épaules en se répétant de garder son sang-froid. Son bouquet de fleurs serré contre sa poitrine, elle se dirigea vers la maison.

Elle entendait déjà la musique et les rires qui fusaient et se dit qu'il valait mieux entrer sans sonner. Son cœur battait à se rompre quand elle poussa la porte d'entrée, et plus encore quand elle fit quelques pas jusqu'au seuil du salon. Tout d'abord, personne ne parut prendre garde à son arrivée. Mais d'un seul coup, le silence se fit. Tous les invités se tournèrent de son côté. En découvrant ces visages étrangers rivés sur elle, elle sentit son sourire se figer et se demanda brusquement ce qu'elle venait faire dans cette galère !

Tout à coup, un homme se détacha du groupe et s'avança jusqu'à elle. Il était plus petit et trapu que dans son souvenir et ses yeux verts étaient fixés sur elle avec une expression chaleureuse.

— Izzy !

— Rob ! Comme je suis contente…

Il la serra dans ses bras et elle se sentit soudain soulagée. Puis il se retourna en l'entraînant vers les autres.

— Emma ! Viens voir qui est là !

Cette dernière se précipita pour embrasser Izzy. Elle n'avait pas changé du tout, c'était toujours sa vieille amie adorable et pleine d'affection. Elle prit les fleurs avec un sourire ravi et commença les présentations. Izzy connaissait peu de monde, et en tout cas, il n'y avait pas trace de Will. Ni de Julia ! Elle respira, enfin délivrée de son appréhension stupide.

Elle commençait juste à se détendre vraiment quand elle entendit la porte d'entrée s'ouvrir derrière son dos. Le regard un peu embarrassé d'Emma la força à se retourner. Elle distingua tout d'abord dans la semi-pénombre de l'entrée un homme aux cheveux noirs un peu hirsutes, les mains enfoncées dans les poches de sa veste. Il avait l'air plutôt mal à l'aise et on aurait dit qu'il était sur le point de repartir. Mais Rob et Emma se précipitèrent sur lui pour l'accueillir avec chaleur et l'entraînèrent parmi les invités sans lui laisser une chance de s'échapper ! C'est alors qu'il leva les yeux vers elle et leurs regards se croisèrent… Izzy eut alors un tel coup au cœur qu'elle faillit s'évanouir.

C'était incroyable ! Il n'avait pas changé ! Enfin… pas beaucoup. Un air plus soucieux, oui, mais c'était toujours Will ! « Mon Will ! » songea-t-elle, sur le point d'éclater en sanglots.

Non ! Ce n'était pas *son* Will, hélas… Il fallait qu'elle se calme, qu'elle se fasse une raison ! Il n'y avait qu'à le regarder. Il semblait plus grand, plus solide, plus mûr. Toujours aussi beau ! Mais… fatigué, oui, épuisé même. Pourquoi ?

Izzy avait envie de crier. Envie de rire, de pleurer, de se jeter à son cou ! Et comme elle n'en avait pas le droit, elle choisit… la fuite. Elle se glissa parmi les invités pour s'éclipser de sa vue et passa derrière lui au moment où il saluait chacun tour à tour. Elle sortit discrètement de la pièce pour chercher les toilettes. Non, elle n'était pas en mesure d'affronter la situation… Il lui fallait un peu de temps pour prendre conscience de ce qui se passait et surtout pour maîtriser une telle émotion, folle qu'elle était !

2.

Elle repensa à... ... ... Elle avait... ... ... Elle... ... ...

Will était sous le choc. Jamais il n'aurait pu imaginer qu'Izzy se trouverait là ! Un peu hagard, il prit machinalement le verre qu'on lui tendait et adressa un vague sourire à un ami qui lui tapait dans le dos. Izzy... c'était le seul mot, la seule pensée qui lui venait à l'esprit. Son Izzy !

Non. Ce n'était plus du tout ça. Il savait bien que de nombreuses années s'étaient écoulées depuis ce temps béni où elle était *son* Izzy. Et c'était lui qui avait trahi le pacte.

Mais comment diable Rob avait-il pu oublier de l'avertir ? Sans doute aurait-il renoncé à cette soirée s'il avait su qu'Izzy serait présente. A moins que... non, il aurait été assez fou pour venir quand-même ! Il fallait qu'il lui parle.

Mais avant cela, il devait se montrer aimable et reconnaissant envers tous ces gens qui l'avaient tant aidé à surmonter ses problèmes durant les dernières années. Il fit donc un effort pour se ressaisir en bavardant avec ses amis. Et quand il se décida enfin à chercher Izzy du regard pour aller l'aborder, elle avait disparu.

Une soudaine panique l'envahit. Il se fraya un chemin dans la foule des invités pour rejoindre le hall d'entrée, en imaginant avec terreur qu'elle était peut-être repartie. Et soudain, il la vit.

Elle était assise dans un fauteuil, à moitié cachée par une plante verte, le regard perdu au loin. La célèbre femme d'affaires dont la photo figurait souvent à la une des magazines avait l'air tout à coup si vulnérable qu'on aurait dit une petite fille égarée...

— Bonjour, Izzy, murmura-t-il en s'approchant timidement.

— Oh, bonjour, Will..., répondit-elle en esquissant un sourire.

Sa voix était la même, douce et mélodieuse.

— Eh bien, cela fait un petit moment...

— Oui, en effet. Comment vas-tu ?

— Oh, tu sais, je m'occupe de la ferme comme autrefois. Mais toi, c'est différent... En tout cas, tu es toujours aussi belle.

— Et toi toujours aussi flatteur ! Douze ans déjà...

Elle avait encore ce fameux sourire qui le rendait fou de désir.

— Onze depuis la dernière fois où nous nous sommes vus. Mais moi, j'ai de tes nouvelles par les journaux et la télévision.

Izzy cherchait avec peine à masquer son émotion.

— Comment va Julia ?

— Rob ne t'a pas dit ? Elle est morte il y a deux ans d'une grave maladie.

Bien qu'il ait prononcé ces mots à voix basse, Izzy les reçut comme un coup de poignard. Sa bouche s'ouvrit comme si elle allait pousser un grand cri, mais elle parvint à se contrôler.

— Oh, Will... je suis désolée... je ne savais pas...

Elle avait l'air si désemparée qu'il fit un pas en avant, dans l'intention peut-être de poser une main amicale sur son épaule. Mais ce fut elle qui se leva et se précipita la première pour le prendre dans ses bras, un geste de réconfort dont la tendresse était sincère. Pourtant, ce fut un tout autre sentiment qui les gagna bientôt tous les deux durant cette brève étreinte. Izzy avait tout à coup l'impression d'être revenue douze ans en arrière et elle sentit que Will éprouvait exactement la même émotion.

— Tu as dû vivre des moments horribles, dit-elle d'une voix brisée.

Elle s'écarta de lui en hochant la tête.

— Pardonne-moi d'avoir réveillé ces douloureux souvenirs. J'ai l'impression de venir gâcher cette soirée…

Il eut un pâle sourire.

— Oh, tu sais, nous y pensons tout le temps, les enfants et moi. C'est comme ça, c'est la vie.

Il la regarda au fond des yeux avec un éclair de gaieté comme pour chasser les images pénibles.

— Je suis vraiment heureux de te revoir ! Ce serait bête de se quitter comme ça, tu ne crois pas ? Est-ce que tu seras encore dans la région demain ?

— Je suis descendue à l'hôtel White Heart et j'avais l'intention de me promener un peu dans les environs avant de repartir pour Londres.

— Veux-tu venir déjeuner à la maison ? Tu te rappelles où se trouve la ferme, je suppose.

Son air joyeux semblait un peu forcé, et Izzy se sentit mal à l'aise.

— Peut-être… C'est vraiment gentil, merci.

Un silence s'installa brusquement. Par chance, Rob arrivait d'un air joyeux.

— Ne restez pas là, tous les deux ! Venez vous amuser un peu !

Il les prit chacun par le bras pour les entraîner dans le salon. Bientôt, ils se trouvèrent séparés, bavardant avec différents groupes ici ou là. Une heure plus tard environ, le téléphone portable de Will se mit à sonner. Un agneau était en train de naître et la mise bas présentait des difficultés. Il devait venir très vite prêter main-forte à son père.

Il avisa Rob de son départ et salua quelques amis. Izzy était introuvable et il n'avait pas le temps de la chercher. Mais il se rassura en se promettant de la voir le lendemain. Et ce fut seulement trois heures plus tard, en rejoignant enfin son lit complètement exténué, qu'il réalisa la situation : Izzy et lui avaient à peine échangé quelques mots, et rien ne lui permettait de penser qu'elle avait envie de le revoir…

Izzy retrouva facilement la ferme de Will, mais en s'arrêtant juste devant, elle ouvrit des yeux stupéfaits. Tout avait changé ! Pas la maison sans doute, mais tout ce qui en constituait l'environnement. Une bonne partie des dépendances en ancienne brique pâle typique de la région avait été rénovée et entourée de verdure. Et l'une d'elles aux poutres fraîchement laquées portait même l'enseigne d'un genre de café-restaurant : « Au Vieux Chariot » !

Juste devant se trouvaient installées des tables et des chaises sur une grande pelouse entourée d'une haie. Malgré la fraîcheur de ce mois d'avril, quelques consommateurs y avaient déjà pris place pour boire un verre. Il y avait aussi une boutique et un atelier, et un peu plus loin un parking destiné à la clientèle.

Il était à peine plus de 11 heures, et Will ne l'attendait sûrement pas si tôt pour déjeuner, mais elle avait dû libérer sa chambre d'hôtel et elle avait choisi de venir directement. Et depuis qu'elle se trouvait là, ses mains s'étaient remises à trembler et son cœur à battre beaucoup trop vite ! Non seulement elle allait revoir Will, mais elle allait connaître les enfants qu'il avait eus avec Julia, son amie d'enfance ! Et cette idée lui procurait un étrange malaise.

Elle accosta une serveuse pour lui demander où elle pouvait trouver le patron des lieux.

— Si vous cherchez Will, il est à la bergerie, lui répondit la jeune fille en désignant un bâtiment de l'autre côté.

Izzy suivit son conseil comme un automate. Un chien arriva en courant et vint la renifler. Elle le caressa machinalement et s'avança sur le seuil, hésitant à fouler la paille avec ses belles bottes en peau fragile.

— Will ?

— Je suis là ! Entre !

Elle poussa les battants de bois qui résistèrent un peu et l'aperçut allongé sur le sol, occupé à soigner une brebis.

— Oh, c'est toi ? Tu es en avance.

— Oui, je sais, excuse-moi. Veux-tu que je revienne plus tard ?

— Non, j'ai presque fini.

— Je… je peux t'aider ? demanda-t-elle stupidement.

Elle s'attendait à ce qu'il lui rie au nez, mais à son grand étonnement, il hocha la tête.

— Si tu pouvais seulement la tenir au collet pour l'empêcher de bouger, ça me faciliterait la tâche.

Sans hésiter, Izzy s'approcha, posa dans la paille son magnifique sac en croco et s'agenouilla en tâchant d'oublier qu'elle portait un pantalon griffé coûtant une petite fortune. Au bout de quelques secondes, Will avait réussi à faire une piqûre à la brebis et elle put la relâcher.

— Au fait, bonjour ! dit-il en l'aidant à se relever.

Will la regardait d'un air amusé. Si les paparazzi qui la poursuivaient sans cesse avaient pu la voir !

— Bonjour ! répondit-elle.

— Elle a mis bas cette nuit, dit-il en désignant la brebis.

— Où sont les agneaux ?

— On va les lui rendre. Il y en a trois. Viens les voir.

Il lui montra les petits dans un box voisin.

— Oh, ils sont trop mignons !

Il les prit tour à tour pour les porter auprès de leur mère et deux d'entre eux se mirent à téter aussitôt. Izzy les regardait d'un air attendri.

— Que c'est beau… Mais pourquoi le troisième ne se met-il pas à téter aussi ?

— Une brebis ne possède que deux mamelles. Quand elle a trois petits, ils boivent tour à tour.

Il appela son chien et entraîna Izzy au-dehors. Puis ils se dirigèrent vers la maison et il poussa une porte qui donnait directement sur la cuisine. Il ôta sa chemise maculée de boue avant de se laver les mains à l'évier.

— Je crois que je vais aller prendre une douche, si tu veux bien m'excuser cinq minutes…, dit-il d'un air un peu gêné.

— Bien sûr, répondit Izzy en luttant pour détacher son regard de son torse musclé.

— Fais comme chez toi, il y a des jus de fruits au frais si tu veux te rafraîchir.

Tout en gravissant l'escalier de bois, il songea aux photos de Julia avec les enfants qui trônaient sur le piano du séjour, et qu'Izzy verrait sans doute si elle flânait dans la maison. Il était trop tard pour les faire disparaître. D'ailleurs, aurait-il pu accomplir ce geste ? Julia avait été sa femme et la mère de ses enfants. Elle méritait un peu plus de respect. Mais il aurait préféré éviter les questions d'Izzy à son sujet, parce qu'il savait qu'à un moment ou à un autre, il serait obligé de lui avouer qu'il se sentait responsable de sa mort…

Izzy promenait tout autour d'elle des yeux émus. C'était incroyable, rien n'avait changé ici ! On aurait dit que le temps s'était arrêté. Il lui semblait que Rob, Emma, Julia et tous les autres copains de jadis allaient surgir d'un instant à l'autre en riant et que Mme Thompson, la maman de Will, allait faire du thé et servir ses délicieuses brioches sortant du four à tout ce petit monde comme autrefois.

A l'époque, la cuisine de la ferme était toujours pleine de bonnes odeurs de cakes, de tartes aux pommes et de toutes sortes de pâtisseries maison que Mme Thompson concoctait avec amour pour la famille et les amis. A Noël, c'était encore chez elle que la petite bande venait finir la soirée en chantant autour du piano avant de déguster la bûche « maison ». Avec un sourire attendri, Izzy passa dans la pièce voisine pour revoir le vieil instrument patiné. Mais elle s'arrêta net.

En voyant la photo de Julia, un bébé dans les bras et un autre petit enfant sur les genoux, elle recula instinctivement de quelques pas, le cœur battant. Il y avait aussi dans le même cadre l'image de Julia et Will tendrement enlacés sur une balançoire. Et puis celle de Will tenant dans ses bras un nouveau-né avec un regard si plein d'amour qu'elle en eut la gorge serrée.

Un brusque vertige la saisit et une voix se mit à résonner à ses oreilles. « Qu'es-tu venue faire ici ? Tu n'as pas le droit d'entrer dans cette maison ! C'est sa maison à *elle* !… »

Izzy sortit de la pièce, chancelante, en se tenant au mur pour ne pas tomber. Will qui descendait juste l'escalier se précipita pour la soutenir. Elle s'effondra contre lui en pleurant et il se mit à la bercer pour la consoler.

— J'aurais dû me douter que tu serais bouleversée en venant ici… Je sais que tu aimais Julia comme une sœur, pardonne-moi de ne pas y avoir songé…

Que pouvait-elle lui répondre ? Que ce n'était pas Julia mais lui qu'elle adorait ? Ses sanglots cessèrent peu à peu au contact réconfortant de sa chaleur. Il lui prit le menton et la regarda au fond des yeux.

— Izzy… ça va ?

— Excuse-moi, dit-elle en s'écartant pour s'essuyer les joues.

28

Elle ne trouvait rien d'autre à ajouter et un lourd silence s'était installé entre eux.

— Je… Il y a trop de souvenirs ici…

Elle se mordit la langue aussitôt. Quelle idiote ! Will avait bien plus de souvenirs qu'elle dans cette maison !

— Veux-tu une tasse de thé ?

Elle fit oui de la tête, tristement, et Will remplit la bouilloire. Puis il se retourna et se mit à l'observer sans un mot. Incapable de soutenir l'insistance de son regard, elle baissa la tête.

— Tu te rends compte ! La dernière fois que nous nous sommes vus, j'avais dix-neuf ans ! Un vrai gamin ! J'ai l'impression d'avoir terriblement vieilli depuis !

— Tu as un peu changé, en effet. Mais je suppose que la vie n'a pas toujours été rose pour toi.

— Oh, j'ai réussi à faire face. J'essaie de songer à l'avenir maintenant. Mais toi, tu es toujours la même.

— Vraiment ? C'est ce que tu penses ? Je ne te parais pas… je ne sais pas… un peu trop… frivole ?

Will avait l'air un peu ennuyé.

— C'était un compliment, Izzy. J'espère que tu ne l'as pas mal pris.

Elle posa la main sur son bras avec un sourire qui se voulait désinvolte.

— Mais non, Will ! Je me sens plus mûre mais après tout, si cela ne se voit pas, tant mieux ! Je suppose que toute femme serait flattée par tes propos !

Il sourit à son tour tendrement.

— Je voulais dire que tu es toujours la même pour moi, aussi belle et gentille. Et je suis très heureux de te revoir.

— Oh, je ne suis pas belle ! dit-elle en riant.

— Oh si ! Mais ne discutons pas là-dessus !

Il s'approcha pour essuyer une dernière larme sur sa joue. Il y avait tant de douceur dans son geste qu'elle se sentit presque défaillir. Mais il reprit aussitôt ses distances, comme s'il avait deviné son trouble.

— En même temps, c'est un choc pour moi de te retrouver, tu sais ! dit-il d'une voix rauque tout en ayant l'air d'en plaisanter.

Il alla chercher la bouilloire pour se donner une contenance.

— Il faut dire qu'il s'en est passé des choses pendant toutes ces années !

Au même instant, l'une de ces « choses » fit son apparition sur le seuil ! Une petite fille dont les cheveux noirs et les yeux bleus évoquaient sans conteste ceux de son papa ! Puis un petit garçon arriva à son tour. Il était brun lui aussi mais par ses traits, son regard, son sourire… c'était Julia réincarnée !

Will les désigna d'un air très fier.

— Izzy, je te présente mes enfants, Michael et Rebecca. Les enfants, voici Isabel, une grande amie. Elle était à l'école avec votre maman et avec moi. Venez lui dire bonjour.

Les deux petits posèrent sur Izzy des yeux pleins de curiosité.

— Bonjour ! lancèrent-ils en chœur.

Rebecca s'avança d'un air décidé.

— Papa, c'est grand-mère qui nous envoie. Elle voudrait que tu lui apportes des œufs parce que tout le monde en commande aujourd'hui et elle n'en aura bientôt plus.

Michael la poussa pour parler à son tour.

— Papa, tu sais, grand-père a vendu une échelle ce matin ! Et tu sais, Mme Jenks, tu la connais ? Elle est venue commander un cercueil, tu te rends compte ? Et grand-mère te dit aussi qu'elle a fait un flan aux épinards comme plat du jour !

Will regardait ses enfants avec une telle tendresse qu'Izzy sentit son cœur se remplir d'amertume. Elle avait trente ans et qu'avait-elle fait de bien jusque-là ? Elle n'avait pas de mari, pas d'enfants. A quoi lui servait tout son argent si elle ne pouvait le partager avec personne ? Will avait raison, elle n'avait pas changé, pas évolué le moins du monde…

— Je vais faire le thé pendant que tu vas chercher les œufs, dit-elle en se levant pour prendre les tasses dans le placard.

Elle connaissait bien la maison et devinait que tout était encore rangé au même endroit.

— Elles sont dans le lave-vaisselle, lança-t-il sans se retourner avant de sortir avec les enfants.

Izzy les trouva en effet, mais elles étaient sales. Elle en prit deux pour les laver à la main, puis introduisit de la poudre dans le casier et mit en route la machine. Quand Will revint quelques minutes plus tard, le thé était servi. Au bruit du lave-vaisselle, il hocha la tête avec un sourire contrit.

— Oh, c'est vrai, j'avais oublié… Il y a tant de choses à faire ici…

Il s'approcha d'Izzy et la prit tendrement par les épaules.

— Merci. Tu sais, je suis vraiment heureux de te revoir.

Il la regarda au fond des yeux d'un air intrigué.

— Tu as l'air soucieuse. Tu vas bien, n'est-ce pas ? C'est sûr ?

— Très bien, vraiment ! Mais c'est plutôt à toi qu'il faudrait poser cette question. Tu as dû faire face à tant de tourments…

Les yeux de Will s'évadèrent au loin, puis après une seconde ou deux de silence, un vague sourire réapparut sur ses lèvres.

— Oui, mais maintenant, ça va. J'ai eu de durs moments, en effet, les dernières années ont été rudes, mais les choses se remettent en place peu à peu.

— Raconte-moi.

Elle avait parlé d'une voix très douce. Il prit sa tasse de thé et alla s'asseoir au bout de la table. C'était la place de son père, Izzy s'en souvenait bien.

— Tout a commencé il y a trois ans, environ. Julia avait tout le temps mal à la gorge, alors elle est allée consulter un spécialiste. Il l'a envoyée aussitôt à l'hôpital pour entreprendre des examens. Ils ont diagnostiqué un cancer...

— Mon Dieu... si jeune...

— Elle a reçu un traitement, mais il était trop tard.

— C'est épouvantable...

— C'est vers la fin de sa maladie que nous avons commencé à produire des produits biologiques. Julia s'imaginait que la nourriture contenant des produits chimiques était à l'origine de son mal.

— Combien de temps a-t-elle été hospitalisée ?

— Quelques mois seulement.

— Et tu as assisté à tout jusqu'à la fin, je présume...

— Bien sûr.

— Et les enfants ?

— Il était impossible de leur cacher la situation. Ils ont vite compris qu'ils allaient perdre leur maman.

Izzy tentait de retenir un sanglot. Elle revoyait sa chère Julia au temps où elles étaient deux amies partageant un même idéal. Julia avait toujours été secourable, dévouée à tous. Elle rêvait de pouvoir sauver le monde entier.

Et elle songeait aussi aux deux petits enfants qu'elle avait vus quelques minutes plus tôt. Quelle douleur ils avaient dû vivre déjà, à cet âge si tendre...

Et Will ! Quand il évoquait ces terribles moments, sa voix se brisait. Il avait aimé Julia, c'était évident. Et malgré elle, cette pensée faisait mal à Izzy. Elle avait toujours refusé de croire qu'il avait fait un mariage d'amour, mais elle ne pouvait plus le nier maintenant.

Elle essuya les larmes qui perlaient à ses paupières. Will se leva pour aller chercher un mouchoir en papier qu'il lui tendit avec un pâle sourire. Elle se tamponna les yeux en reniflant discrètement.

— Excuse-moi. Je ne savais rien de tout ça en venant ici. C'est si brutal…

— Je comprends.

— Comme je te plains…

— Tu sais, le temps passe, Izzy. Il faut bien repartir, aller de l'avant. Et puis, il y a les enfants.

C'était lui qui la réconfortait ! Il semblait si fort tout à coup qu'elle eut honte de lui avoir manifesté une compassion aussi appuyée.

— Les épreuves font grandir, ajouta-t-il gravement.

Elle faillit fondre de nouveau en larmes, mais elle se retint cette fois, parce que c'était à sa propre vie qu'elle songeait.

— Ta réaction est magnifique, Will. Tu te dévoues à tes enfants, tu fais tout pour les rendre heureux malgré ce qui est arrivé. Je t'admire… Dire que moi, je n'ai rien fait d'intéressant durant toutes ces années !

— Tu ne peux pas dire ça, voyons.

— Qu'ai-je réalisé à part faire gagner de l'argent à des gens déjà richissimes ? C'est tellement vain, tout ça…

Sa voix s'étrangla dans un sanglot. Elle se sentait accablée par le remords.

— Je ne devrais pas être ici. Ce n'est pas ma place.

Will se leva d'un bond et vint lui saisir les mains pour l'attirer contre lui. Elle se réfugia d'instinct entre ses bras.

— Ne sois pas stupide ! Tu as parfaitement le droit d'être ici ! Cela me fait tellement plaisir de te revoir après si longtemps !

Si longtemps, en effet… bien trop longtemps, songea-t-elle tristement. Maintenant, il était trop tard.

Mais trop tard pour quoi, au juste ? Elle ne voulait pas y penser. Elle ne voulait penser à rien, seulement au bonheur d'être là dans ses bras, contre son cœur… Elle laissa échapper un gros soupir, un peu comme une enfant qui se laisse consoler.

Will eut un léger rire amusé. Elle leva les yeux et lui sourit.

— Tu n'as pas faim ? demanda-t-il sans transition.

— Si, un peu.

— Moi, je suis affamé. Je n'ai pas eu le temps de prendre un petit déjeuner ce matin.

— Tu n'avais déjà pas mangé beaucoup hier soir chez Rob et Emma, si je me souviens bien !

— C'est vrai. Viens, allons au Vieux Chariot pour grignoter un peu.

— C'est votre café ?

— Oui, c'est maman qui le tient. Elle s'occupe aussi de la boutique de produits biologiques.

— Ah oui ! Et ton père est à l'atelier de menuiserie. Michael l'a dit tout à l'heure.

Les mots du petit garçon évoquant un cercueil fabriqué par son grand-père lui revinrent à la mémoire. Où Julia était-elle enterrée ? Sans doute au petit cimetière du village, tout contre l'église dont son père était le pasteur. Izzy se promit d'aller s'y recueillir, mais elle ne voulait pas en parler à Will pour le moment. La voix de son compagnon était redevenue enjouée et elle ne voulait pas l'attrister de nouveau.

— Oui, et il a aussi appris à travailler l'osier. Au début, il pratiquait tout cet artisanat seul, mais vu le succès de ses produits, il se fait maintenant aider de plusieurs jeunes qui travaillent avec lui. Certains sont des handicapés pour qui cela représente une chance rare de gagner leur vie.

— C'est extraordinaire. Et c'est bien pour tes enfants de voir se développer ce commerce familial sous leurs yeux.

— Oui, nous en sommes tous très fiers. Je te ferai visiter l'atelier après le repas.

Il lui prit la main et l'entraîna au-dehors. Elle eut un léger frisson au contact de sa paume calleuse et ferme, si différente de celles qu'elle devait habituellement serrer en ville dans le cadre de son travail.

En traversant la cour de l'ancienne ferme, Izzy promenait son regard de tous côtés.

— Décidément, beaucoup de choses ont changé ici !

Elle revoyait l'image des bâtiments tels qu'ils étaient autrefois. Ils avaient repris des couleurs, le décor était bien plus agréable maintenant.

— On reconnaît tout de même la ferme, remarqua Will d'un air ému.

— Oui, bien sûr ! Je l'aimais beaucoup, tu sais.

— C'est toujours chez nous…, conclut-il en hochant la tête.

Il avait un sourire indéfinissable et Izzy sentit son cœur défaillir. Elle pensait à son appartement de Londres, au sommet d'un haut immeuble de verre qui dominait le quartier à la mode des nouveaux docks. Il y avait un restaurant chic au rez-de-chaussée. Et puis un centre médical au premier étage, ainsi qu'un gardien et une boutique où l'on pouvait commander à n'importe quelle heure des produits bio. Cet ensemble de services était bien commode, voilà pourquoi elle avait choisi d'habiter là. Mais était-ce « chez elle » ?

Le beuglement intempestif d'une vache dans le pré voisin la fit sursauter. Devant elle, sur la pelouse, de nombreux oiseaux picoraient tranquillement.

Non, en mentionnant son appartement de Londres, elle ne disait pas « chez moi ». Chez elle, c'était ici, dans ce village qu'elle n'aurait peut-être pas dû quitter…

Elle se reprit aussitôt. C'était pure folie que de regretter le passé ! Et en tout cas, cette ferme ne serait jamais « chez elle ». Elle devait en être bien consciente.

— Tu as de la chance, conclut-elle en soupirant.

— De la chance ?

— Oui, de vivre ici, dans cet environnement.

— Ah ça, je sais, répondit-il avec le même sourire serein.

Il l'entraîna un peu plus vite vers le café-boutique.

— Viens, allons voir maman. Elle va être ravie de te revoir. Tu sais, elle t'adorait.

A ces mots, Izzy faillit se remettre à pleurer. « Toi aussi, tu m'adorais ! » Voilà ce qu'elle aurait voulu lui répondre ! A moins qu'elle ne se le soit seulement imaginé… En réalité, c'était elle qui l'adorait ! Elle respira un grand coup et se força à sourire.

— Oh, moi aussi je suis très heureuse de la revoir.

Puis, sur ces mots, elle hâta le pas pour suivre Will.

3.

En traversant la cour, Izzy constata, étonnée, que tous les visiteurs sur leur passage saluaient Will avec un sourire à la fois chaleureux et plein de respect. Mais c'était la curiosité qui se lisait dans leurs yeux quand ils se posaient sur elle. Beaucoup d'entre eux se souvenaient de sa famille et lui disaient bonjour aimablement, quoique parfois avec un soupçon de défiance. Elle savait que sa réputation ne la rendait pas sympathique.

Devant l'entrée du Vieux Chariot, deux vieilles dames vinrent à la rencontre de Will.

— Quelle belle journée, n'est-ce pas ? dit l'une d'elles.

— Oui, en effet, répondit-il avec un sourire, en poursuivant son chemin.

Mais son interlocutrice le retint par le bras.

— Présentez-nous donc votre compagne, Will !

— Oh, pardon, mesdames. Mme Willis et Mme Jones. Mlle Isabel Brooke.

La vieille dame se tourna vers Izzy d'un air un peu méprisant.

— Ah, oui, mademoiselle Brooke ! On parle beaucoup de vous dans certains journaux…

— Je ne sais pas, je ne lis pas ce genre de presse, répondit Izzy avec douceur.

37

Will toussota et prétexta l'urgence d'aller voir sa mère pour entraîner Izzy à l'intérieur sans attendre la réplique suivante. Mais l'autre vieille dame se hâta de lancer tout haut son commentaire pour qu'ils l'entendent avant de rentrer dans le restaurant.

— Mon Dieu ! Dire que Julia était une jeune femme si adorable ! Celle-ci ne lui arrive pas à la cheville.

Will saisit fermement le bras d'Izzy afin d'éviter qu'elle ne fasse demi-tour.

— Je suis désolé, Izzy. Elles sont connues dans le village pour être de très méchantes femmes.

— Oh, ce n'est rien, j'ai l'habitude.

Elle se garda de confier à Will qu'elle ne s'attendait pas à entendre de tels propos ici, dans son pays natal. Ces accusations étaient d'autant plus douloureuses qu'elles étaient totalement injustifiées. Jamais elle ne s'était conduite avec les hommes de la manière dont les ragots le prétendaient.

— Maman va être surprise ! lança joyeusement Will pour changer de ton.

— Tu ne lui as pas dit que j'étais là ?

— Je l'ai avertie de la présence d'une amie, sans préciser laquelle.

Izzy éprouva un brusque malaise qui lui donna envie de s'enfuir sur-le-champ. Et si Mme Thompson avait la même opinion que les autres ?

A peine s'était-elle avancée vers le comptoir que Mme Thompson posa le plateau qu'elle avait entre les mains et se précipita sur elle pour l'embrasser.

— Izzy, ma petite chérie, que tu es belle !

Après l'avoir serrée très fort, la mère de Will se recula d'un pas pour l'admirer.

— Tu as travaillé dur, mais cela ne se voit pas ! Tu es toujours resplendissante !

— Oh non, je sais que j'ai changé ! dit Izzy en riant, les yeux soudain remplis de bonheur.

— Viens, allons nous asseoir tous les trois dehors au soleil ! reprit Mme Thompson gaiement.

— Mais vous avez beaucoup de monde, je ne voudrais pas vous retenir trop longtemps, protesta Izzy.

— Pour les amis, j'ai tout mon temps. Ma petite employée va nous servir à boire sur la terrasse et je lui dirai de nous garder trois parts de flan aux épinards.

Izzy hésita un instant. Il faisait très doux en ce début d'avril, mais était-ce raisonnable de s'afficher à l'extérieur où tous ces gens pourraient l'observer comme une bête curieuse ? Mme Thompson résolut la question en s'installant à côté d'elle, le bras passé autour de ses épaules pour bien signifier à tous qu'elle était la bienvenue.

— C'est un bonheur pour nous tous que tu reviennes à la maison ! ajouta-t-elle d'un air sincèrement ému.

Izzy ne comprit pas tout de suite qu'elle parlait du village. Pour elle, sa maison était celle des Thompson, car ses propres parents avaient vendu la leur quand elle était partie en ville pour faire ses études.

— Moi, je n'ai plus de maison ici, murmura-t-elle tristement.

Comme une sorte de gêne avait suivi sa remarque, elle s'empressa de changer de sujet.

— J'ai été très peinée d'apprendre le décès de Julia, dit-elle en se tournant vers Mme Thompson.

— C'est un drame horrible, oui, surtout pour les enfants.

Izzy sentit les larmes lui monter aux yeux, et elle ne put les cacher.

— Oh, pardon, je crois que je n'ai pas pleuré autant depuis des années ! dit-elle en se forçant à sourire.

— Pauvre petite, pourtant, tu as dû te sentir bien malheureuse toi aussi quelquefois. Je pense à tous ces articles orduriers dans la presse à scandale…

— Oh, ça n'a pas beaucoup d'importance.

La serveuse arrivait avec un plateau et déposa sur la table trois assiettes fumantes et des bocks de bière. Mme Thompson désigna de la tête le paysage autour d'eux.

— Que penses-tu de nos innovations, Izzy ?

— J'adore. Mais ça ne ressemble plus tout à fait à la ferme que j'ai connue, dit-elle en sentant ses yeux se mouiller une fois encore.

Il fallait qu'elle maîtrise cette stupide sensibilité. Will et sa mère la regardaient d'un air désolé. Elle eut la force d'afficher un large sourire.

— Racontez-moi comment vous faites pour tenir à la fois le café-restaurant et la boutique ! Je suppose que vous n'avez pas une minute de répit !

— Maman travaille trop, en effet, renchérit Will.

— Tant que j'ai assez d'énergie pour travailler, c'est que je suis en pleine forme, n'est-ce pas ? repartit Mme Thompson. J'ai bien le temps de songer à la retraite.

Will hocha la tête avec tendresse. Mais quand ses yeux rencontrèrent ceux d'Izzy, une tout autre lueur vint les traverser. Elle avait oublié cette expression qu'il avait souvent autrefois quand ils étaient ensemble. Une onde brûlante la parcourut, elle battit des paupières et dut se tourner.

— Et comment va votre mari ? demanda-t-elle à Mme Thompson d'une voix un peu enrouée.

Mais le regard de Will la poursuivait, avec les souvenirs d'un certain été — lointain mais toujours bien présent, hélas.

Etait-ce du désir ? songea Will. Oui, bien sûr. Le jour où il s'étaient rencontrés, déjà, alors qu'elle avait à peine seize ans, Will avait éprouvé ce trouble intense en posant les yeux sur Izzy.

Mais ils étaient trop jeunes alors et surtout préoccupés par leurs études. C'était seulement l'année suivante qu'ils étaient vraiment tombés amoureux l'un de l'autre, tandis qu'ils campaient au bord de la rivière avec leurs amis. Ils avaient échangé leur premier baiser un soir sous un grand saule dont les branches ondoyaient au vent.

Le souvenir de cet épisode était encore gravé au fond du cœur de Will, et jamais il n'oublierait cet instant. Il avait ressenti une telle émotion qu'il avait pris la fuite. Izzy avait paru aussi bouleversée que lui, mais il leur avait fallu encore pas mal de temps avant de se retrouver. Ils avaient alors vécu durant des mois une amourette bien sage, mais… un soir où la maison de ses parents était vide, il l'avait entraînée dans sa chambre, et ils avaient fait l'amour.

Enfin… c'était beaucoup dire parce que leur jeune âge les rendait plutôt maladroits. Malgré cela, une intense passion était née entre eux et ils ne se quittaient plus. Hélas, Will avait planifié depuis longtemps un voyage en Australie qu'il ne pouvait plus annuler. Il devait le partager avec Rob, Emma et Julia, et il était trop tard pour qu'Izzy puisse se joindre à eux. La mort dans l'âme, ils avaient dû se quitter.

Et Will se demandait maintenant ce qu'aurait pu être sa vie s'il n'était pas parti cette année-là…

Mais il était inutile de réécrire l'histoire puisque leurs destins avaient pris des cours aussi différents. Izzy vivait à Londres dans le monde des affaires. Quant à lui, il était resté un paysan dans leur village, même s'il avait transformé sa ferme en une entreprise florissante. Et il était aussi un père de famille responsable qui élevait seul ses deux enfants, et dont les journées étaient interminables.

A quoi bon remuer le passé ? Ils n'avaient plus rien de commun. La seule chose qui le rattachait encore à Izzy, c'était le feu qui s'allumait brusquement au fond de lui quand il la regardait…

Ils avaient terminé leur repas et sirotaient un café, quand brusquement, il s'aperçut qu'il tenait sa tasse de travers et qu'un peu de breuvage noir brûlant venait de tomber sur son jean. Personne autour de la table ne paraissait avoir remarqué sa maladresse. Il se garda bien d'en faire état et se contenta de tamponner le tissu sur sa cuisse avec une serviette en papier.

— Will ? Tout va bien ?

Izzy l'observait d'un air intrigué. Sans doute avait-il une tête bizarre, mais il s'empressa d'arborer un grand sourire.

— Oui, bien sûr !

Elle était donc toujours aussi attentive à ses moindres changements d'humeur… Il eut brusquement envie de la prendre dans ses bras et de l'embrasser. Mais au bout de quelques secondes, le liquide chaud répandu sur son pantalon s'était mis à refroidir avec la brise fraîche d'avril et la sensation devenait de plus en plus désagréable.

— Excusez-moi, je dois aller m'occuper des enfants, dit-il sans préambule en se levant d'un air gêné.

Mme Thompson leva sur lui des yeux stupéfaits.

— Ce n'est pas la peine, voyons. Reste ici, j'irai dans un moment les faire déjeuner.

Will se résolut à suivre son conseil. Quelques minutes plus tard, sa mère se dirigeait vers la ferme et le laissait seul avec Izzy. Will sentit une sorte de panique l'envahir. La présence d'Izzy le bouleversait si fort qu'il se sentait mal. Le son de sa voix, son regard, son parfum même, provoquaient dans son esprit et son corps d'étranges réactions. Il n'avait rien éprouvé de tel depuis des années.

Elle avait l'air si vulnérable sous ses airs de grande dame ! Il sentait en elle la même fragilité qu'autrefois, et cette sensibilité si attachante dont il était devenu fou amoureux. Elle baissait les yeux sur sa tasse de café et hochait la tête d'un air vaguement malheureux.

— Je ne devrais pas être ici, murmura-t-elle enfin, le souffle court.

Elle releva la tête et croisa son regard. Will sentit sa gorge se nouer. Qu'elle était belle… Encore plus qu'avant, de manière différente. Il avait peur pour elle tout à coup. Izzy avait vécu de dures épreuves face à la cruauté des journaux à sensation et aux médisances de tout bord. On voyait qu'elle en avait été marquée. Oh, comme il aurait voulu la serrer contre lui pour la réconforter ! Il dut presque s'agripper à son fauteuil pour se retenir.

Il cherchait à paraître détendu, mais le sourire qu'il parvint à lui adresser cachait mal son émotion.

— Comment cela ? Tu es ici chez toi, Izzy, comme autrefois ! Excuse-moi si je ne suis pas un hôte parfait. Je n'ai plus l'habitude.

Il posa sa tasse vide et s'accouda sur le bord de la table pour se rapprocher d'elle.

— Parle-moi un peu de ta vie…

— Ma vie ? Oh, elle se résume vite ! Tu sais bien quel est mon métier. Je fais partie des infâmes prédateurs qui dévorent tout sur leur passage !

Will haussa les épaules.

— Bien sûr que non ! Tu mérites mieux que ce portrait !

Il la regarda au fond des yeux sans cacher sa curiosité.

— J'aimerais bien que tu me racontes en quoi consiste ton travail. Je sais que tu ne l'as pas choisi pour l'appât du gain.

— Non, mais par défi sans doute. C'est un challenge permanent et j'en ai besoin pour m'affirmer. Trouves-tu que ce soit mieux ?

— Pourquoi pas ? Je comprends qu'on puisse aimer le jeu. Mais comment fais-tu pour réussir chaque fois comme tu le fais ?

— C'est une forme d'instinct, je présume. Et l'expérience compte aussi. J'ai appris à connaître les atouts essentiels pour ne pas prendre de risques inutiles. Il faut choisir de bons produits, et placer aux postes clés des responsables compétents.

— Mais comment fais-tu pour racheter toutes ces entreprises aux meilleures conditions ?

— Je me bats. Je suis dure en affaires, tu sais ! Cependant, j'ai tout de même une éthique, rassure-toi. Je ne fais pas partie de ces requins prêts à tout pour gagner.

— Pourtant, ces transactions doivent parfois laisser des travailleurs sur le carreau, non ?

— J'ai créé ma propre agence de recrutement et je me fais un devoir de leur trouver un emploi ailleurs. Mais cela, les journaux n'en parlent pas, ou rarement.

Will sourit d'un air malicieux.

— En fait, tu es une sorte de Jeanne d'Arc !

Izzy eut un léger rire dont le son cristallin le fit frissonner.

— Presque ! En tout cas, je ne suis pas la sorcière qu'on prétend.

Le cœur de Will battait soudain très fort. Comment parvenait-il à rester assis là tranquillement alors qu'il ne songeait qu'à l'étreindre comme un fou ? Et surtout, comment avait-il pu vivre durant toutes ces années sans la voir, sans l'entendre, la toucher ? Elle aussi avait au fond des yeux cette petite lueur qu'il connaissait bien. Leurs regards se mêlaient comme dans un rêve. Il était sur le point de lui dire des choses insensées...

Fort heureusement, Mme Thompson apparut avec un plateau.

— Je vous ai apporté d'autres cafés, les enfants !

Will tourna la tête comme s'il sortait d'un songe. Il posa une tasse fumante devant Izzy et en prit une qu'il serra presque fiévreusement entre ses doigts. Le contact de la faïence brûlante lui faisait du bien, comme si elle exprimait le feu qui couvait tout au fond de son corps. Mais il ressentit brusquement une absurde envie de pleurer, si inattendue qu'il dut se forcer à regarder au loin pour ne plus voir Izzy. C'était trop dur.

Quelques instants plus tard, alors que leurs tasses étaient vides, il sourit à Izzy d'un air faussement désinvolte.

— Que dirais-tu d'une petite visite guidée ?

Il posa sa tasse nerveusement sur la soucoupe qui émit un son un peu trop brutal. Décidément, il faudrait qu'il renonce au café durant quelques jours !

Izzy parut hésiter.

— Ce serait avec plaisir, mais… je ne veux pas te retenir. Tu dois avoir tellement de choses à faire…

— Ne sois pas stupide ! répondit-il un peu sèchement.

Devant son regard légèrement choqué, il eut un air contrit.

— Excuse-moi. A vivre comme un ours j'ai perdu l'usage des bonnes manières. J'ai tout mon temps, et si ça te fait plaisir, nous pouvons rester encore un moment ici. Veux-tu un autre café ?

Elle lui sourit d'un air amusé.

— Je ne te trouve pas si ours que ça ! Non, je ne veux pas d'autre café, merci, je crois que j'en ai déjà un peu trop bu. D'accord pour une visite guidée.

Elle avait une moue si désarmante qu'il faillit capturer ses lèvres. Mais il se contenta de lui tendre la main.

— Alors, nous pourrions commencer par l'atelier. Je crois que mon père sera ravi de te revoir.

Il jeta un regard circulaire.

— Je ne vois pas les enfants. Ils sont peut-être avec lui. Ils adorent l'aider à l'atelier.

— Il doit être content…, répondit Izzy d'un air songeur.

Elle s'était brusquement rembrunie. Will songea que voir les enfants était certainement une épreuve pour elle. Sans doute regrettait-elle de ne pas en avoir. Il ne pouvait pas l'imaginer en mère de famille. Comment aurait-elle fait pour élever des enfants avec la vie qu'elle menait ? Il n'y avait pas de place pour un foyer dans sa vie. Pas de place pour lui non plus…

Leurs vies étaient bien différentes. Comment avait-il pu songer un seul instant à renouer avec elle ? En la retrouvant, la veille, il s'était mis à rêver comme un idiot. Mais il comprenait soudain que tout cela n'était qu'illusion. Il ne l'avait pas retrouvée du tout. Ils n'auraient jamais aucun avenir commun. Il fallait qu'il oublie le désir fou qui s'était emparé de lui en la voyant. Jamais plus il ne la tiendrait dans ses bras, jamais plus il n'embrasserait ses lèvres si sensuelles, jamais plus il ne l'entendrait gémir de plaisir sous ses caresses.

Il se leva brusquement et repoussa sa chaise d'un geste nerveux.

— Allons-y.

Il esquissa un sourire mais sa voix trahissait son malaise.

Izzy était tout à fait décontenancée. Le ton de Will avait changé d'un seul coup et il fronçait les sourcils. Avait-elle dit quelque chose qui lui avait déplu ? Elle se leva à son tour et hocha la tête.

— Je crois que je ferais mieux de m'en aller.

Will eut l'air encore plus ennuyé.

— Mais… pourquoi ? Si tu étais pressée, tu aurais dû me le dire, je ne t'aurais pas retenue aussi longtemps.

— Non, je ne suis pas pressée. Mais je crois qu'il vaut mieux en rester là.

Will passa une main un peu tremblante dans ses cheveux en bataille tout en la regardant au fond des yeux.

— C'est ma faute. Je n'aurais pas dû te dire de venir ici aujourd'hui. Il est impossible de faire revivre le passé, c'est trop dur.

46

Il pensait sans doute à Julia. Du moins, c'est ce qu'Izzy croyait comprendre. Revoir une ancienne amie lui rappelait les joies de leur jeune âge et les années de bonheur passées ensuite avec sa jeune épouse. Elle sentit sa gorge se nouer. A cet instant, Will vint la prendre par le bras avec un pâle sourire.

— Si tu n'es pas trop pressée, viens au moins dire bonjour à mon père avant de partir. Et puis, j'aimerais tout de même te montrer les transformations que nous avons faites dans la ferme.

Il avait l'air sincère.

Izzy lui sourit à son tour.

— Tu as raison, j'aimerais bien voir ça.

Il traversèrent la cour et contournèrent le bâtiment jusqu'à l'ancienne grange devenue atelier. M. Thompson en sortait justement avec les enfants. Il se précipita pour la prendre dans ses bras.

— Isabel ! Quelle joie de te revoir ! Tu as l'air en pleine forme !

Il planta des baisers sonores sur ses deux joues.

— Vous aussi vous avez une mine superbe, vous n'avez pas changé ! répondit-elle en l'embrassant affectueusement.

Il posait sur elle ses yeux gris pleins de tendre malice. S'il avait un peu vieilli, c'était toujours le même homme, en effet. Bien que légèrement plus petit que Will, il en était la copie conforme.

— Eh bien, monsieur Thompson, vous avez réalisé une magnifique entreprise ici ! dit Izzy avec une admiration non feinte.

Le père de Will eut un petit rire flatté.

— Oh, ce n'est pas grand-chose, mais nous en sommes bien contents. Viens, je vais te faire visiter !

Il la conduisit à l'intérieur pour lui montrer son atelier.

— C'est ici que je fabrique les meubles et les jouets avec mon ouvrier.

Il pointa le doigt vers les étagères couvertes d'une multitude d'outils métalliques.

— Voilà ce qui nous sert à tailler tous ces petits personnages que tu vois là.

Un peu plus loin, il désigna de longs rondins empilés près de la scie électrique.

— Les poutres que je fabrique sont garanties cent ans ! Pas comme ces affreux trucs industriels en aggloméré !

Izzy respirait avec délice la bonne odeur du bois coupé.

— C'est formidable ! Mais comment assurez-vous votre marketing ?

Le vieil homme ouvrit des yeux tout ronds.

— Notre « marketing » ? Mais voyons, c'est le bouche à oreille ! Nous sommes très connus dans la région !

— Vous voulez dire que vous ne faites aucune publicité ?

M. Thompson semblait de plus en plus stupéfait.

— De la publicité ? Pour quoi faire ? Nous avons déjà trop de travail ! Nous devons souvent en refuser !

Izzy hocha la tête.

— C'est vraiment impressionnant. Félicitations, vous pouvez être fier !

— Nous le sommes.

C'était la voix de Will qui vint lui reprendre le bras avec douceur.

— Viens, je vais te montrer le reste.

Il se tourna vers son père.

— Papa, tu es sûr que les enfants ne t'embêtent pas trop ?

— Pas du tout. Va faire visiter le domaine à Isabel !

Ils ressortirent pour aller rejoindre le corps de bâtiment principal qu'ils longèrent pour le contourner. Dans la cour qui se trouvait derrière, Will entraîna Izzy vers une voiture tout terrain dont il ouvrit la portière pour la faire monter. Elle était heureuse qu'il lâche enfin son bras. C'était trop dur pour elle de le sentir si proche, elle avait peur qu'il ne devine son trouble.

C'était épouvantable de constater à quel point elle se sentait encore attirée par lui ! Hélas, c'était probablement à sens unique. Il devait encore penser beaucoup à Julia et il n'avait pas le cœur à songer à une autre femme...

Izzy dut se faire violence pour se concentrer sur tout ce que Will lui montrait au passage, les rénovations des divers bâtiments, les nouvelles récoltes obtenues grâce à la culture bio, dont il lui expliquait avec soin les exigences.

Elle essayait de toutes ses forces de s'intéresser à ce qu'il disait, mais hélas, elle ne parvenait qu'à écouter le son de sa voix, toujours aussi grave et douce, avec des accents rauques par moments. Ils arrivèrent bientôt au bord de la rivière. Le cœur d'Izzy se mit à battre encore un peu plus fort. Et ce qu'elle craignait se produisit. Will roula encore un peu le long de la berge, et puis... s'arrêta sous un grand saule, le plus vieux de la région.

Il descendit de voiture et vint lui ouvrir la portière. Elle se hâta de sauter à bas de son siège en faisant semblant de ne pas voir la main qu'il lui tendait. Puis elle le suivit jusqu'au bord de l'eau. Il marchait lentement sans rien dire, et enfin s'accroupit pour prendre entre ses doigts une poignée de sable.

— Nous étions venus camper ici, tu te rappelles ? murmura-t-il d'une voix soudain enrouée.

Izzy ne pouvait proférer le moindre son. Elle fit oui de la tête tandis que Will la fixait intensément.

— Je... je ne pensais pas que ce vieil arbre existait encore..., parvint-elle à dire doucement.

— Il existera toujours. Celui-ci, il n'est pas question de le couper.

Will avait l'air grave tout à coup. Il s'approcha lentement et lui caressa la joue.

— C'est ici que je t'ai embrassée pour la première fois...

Izzy crut qu'elle allait défaillir.

— Oui, je me rappelle, murmura-t-elle dans un souffle.

C'était comme si une force magique les attirait l'un vers l'autre. Il la prit dans ses bras et la serra doucement. Mais soudain, il s'écarta et partit en courant vers la voiture. Izzy le regarda s'éloigner la mort dans l'âme. Et elle comprit soudain en l'entendant dire tout haut son nom.

— Allô ! Will Thompson, j'écoute.

Il avait entendu sonner son portable ! Elle, non. Le trouble qui l'avait envahie était si fort qu'elle en perdait la conscience de ce qui l'entourait. Elle prit une profonde inspiration pour tenter de se ressaisir. Mais déjà, il revenait vers elle à grands pas.

— Je dois rentrer à la ferme pour m'occuper d'une brebis qui met bas plus tôt que prévu.

Ils se hâtèrent de monter dans la voiture. En démarrant, il se tourna vers elle.

— Je suis désolé.

— Oh, de toute façon, je dois partir, répondit-elle très vite.

En deux minutes, ils furent à la ferme. Will se tourna vers Izzy d'un air sombre.

— C'est trop bête ! J'aurais voulu que nous prenions le temps de nous dire au revoir...

Elle réussit à lui sourire d'un air fataliste.

— Ne t'en fais pas. Va vite, on t'attend.

Il parut hésiter un court instant, puis il se pencha vers elle et brusquement posa ses lèvres sur les siennes avec une sorte de rage désespérée.

— Prends soin de toi ! énonça-t-il rudement, presque comme un ordre.

— Toi aussi..., murmura-t-elle, le cœur prêt à se rompre.

— A un de ces jours ?...

— Oui, peut-être… merci pour cette belle journée !

Il tourna les talons à toute vitesse pour courir jusqu'à la bergerie. Izzy resta un long moment figée sur place, les yeux brouillés de larmes. Puis elle se rappela que son sac se trouvait dans la cuisine et elle s'avança vers la maison. Là, elle prit une feuille de papier sur un bloc-notes près du téléphone et traça quelques mots en soupirant.

Merci pour tout. Si par hasard tu passes par Londres, voici mon numéro. Je serais heureuse de te revoir. Izzy

Elle griffonna les chiffres et plia le bout de papier. Il lui fallait dire au revoir à M. et Mme Thompson. Elle se hâta d'aller les trouver et les salua chaleureusement en retenant ses larmes avant de s'engouffrer dans sa voiture.

Elle reprit très vite la route de Londres. Tout se bousculait dans sa tête et dans son cœur. Julia. Les enfants. Will… Plus attirant et plus inaccessible que jamais. C'était idiot d'imaginer qu'il pourrait un jour venir la voir à Londres. Il n'avait même pas le temps d'aller faire une petite promenade au bord de la rivière ! Inutile de rêver. Il ne pourrait rien y avoir entre eux.

Elle menait de son côté une vie trépidante, toujours en déplacement pour son travail. Le lendemain, elle partait pour Dublin afin d'acheter une nouvelle entreprise. Il lui faudrait sans doute retourner sur place durant des semaines. Quand pourrait-elle trouver le temps de rencontrer Will si par hasard lui-même se rendait libre ?

De toute façon, il y avait entre eux le souvenir de Julia, que tout le monde dans le village semblait encore pleurer. Will n'était pas près de l'oublier. Et même s'il parvenait à aimer une autre femme, Julia serait toujours présente. Izzy savait que pour sa part, elle serait incapable de vivre avec un tel fantôme. Elle aimait le défi et la lutte, mais pas de cet ordre-là.

Non. Elle devait rayer de son esprit cette journée trop bouleversante. Sa vraie vie l'attendait à Londres, elle ferait tout pour oublier Will de nouveau. Et cette fois pour toujours.

4.

Rob serra la main de Will d'un air joyeux.

— Alors ? Cette soirée ?

Will ouvrit des yeux étonnés.

— Tu sais bien qu'elle était réussie, tout le monde a dû te le dire !

— Oui, c'est vrai, répondit Rob. Mais je faisais allusion à toi. Tu es heureux d'avoir revu Izzy ?

Will savait très bien ce que sous-entendait son vieux copain. Cependant, il n'avait pas l'intention de se laisser entraîner sur un terrain aussi délicat.

— Tu ne m'avais pas prévenu qu'elle serait là.

— Je ne le savais pas quand je t'ai invité. Elle m'a appelé la veille, tout à fait par hasard !

Will ne put s'empêcher de faire une moue dubitative. Rob leva la main droite.

— Je te jure que c'est la vérité, c'était une pure coïncidence. Alors, tu étais heureux, je présume ?

Will répondit évasivement. Non, il n'était pas heureux. Ces deux derniers jours, il avait même été malheureux comme les pierres ! Il avait eu de terribles insomnies, et quand il parvenait enfin à s'assoupir, au petit matin, il faisait des rêves stupides qui le laissaient très mal à l'aise. Il avait décidé de tout faire pour ne plus penser à Izzy.

— Excuse-moi, mon vieux, je dois filer, dit-il en regardant sa montre.

Rob l'observait d'un air intrigué.

— Alors, vous devez vous revoir, je suppose.

Will renifla en évitant son regard.

— Non, je ne crois pas.

— Ah bon ? Mais pourquoi ?

— Pourquoi devrais-je absolument la revoir ?

— Parce que… il y a toujours quelque chose entre vous.

Will se passa la main dans les cheveux et regarda Rob d'un air sidéré.

— Qu'est-ce qui te fait dire ça ?

— Oh, je ne suis pas aveugle.

Il perdit son sourire en constatant à quel point ses paroles semblaient troubler Will.

— Je sais que tu aimais sincèrement Julia. Mais aujourd'hui, tu es seul, Will. Et… Izzy et toi avez toujours eu une relation particulière… Tu sais, je me suis souvent demandé pourquoi…

— Tais-toi ! coupa Will durement.

— Excuse-moi, mon vieux, mais…

— Ne te mêle pas de ça, s'il te plaît, Rob. Ne m'en parle plus jamais. D'accord ?

Rob secoua la tête sans commentaire et se leva pour suivre Will jusqu'au seuil de la porte. Avant de sortir, il posa une main amicale sur son épaule.

— D'accord, Will, je n'en parlerai plus. Mais fais-moi juste une faveur… Essaie tout de même d'y penser de temps en temps.

Sur ce, il se hâta de s'éloigner avant que son vieil ami ne trouve le temps de lui répondre. Il n'avait pas envie de l'entendre exprimer sa colère. En réalité, en le suivant des yeux, Will eut un ricanement amer. Y penser de temps en temps ? Il aurait bien voulu ! Parce que depuis deux jours, il pensait sans arrêt à sa relation avec Izzy ! Il ne pensait qu'à ça ! Il connaissait le numéro de téléphone d'Izzy par cœur. Mille fois, il avait failli le composer, mais il avait reposé le combiné aussitôt.

Il était obsédé par Izzy. Torturé par son désir de la revoir. Et en même temps, il était bien conscient de sa folie. Que représentait-il pour une femme comme elle ? Il ne saurait être autre chose dans sa vie qu'un agréable intermède. Elle ne pouvait éprouver pour lui qu'une simple attirance physique ou une espèce de curiosité, compte tenu de leurs souvenirs. Une femme aussi belle, élégante, possédant l'argent et le pouvoir, ne perdrait pas son temps avec un petit fermier besogneux.

Il fallait qu'il se tienne soigneusement à l'écart de ce genre d'aventure. Il se connaissait. Il n'avait pas envie de souffrir durant le reste de sa vie. Si seulement il pouvait l'oublier pour de bon ! Ah, pourquoi était-elle revenue faire irruption dans sa vie ?

Pourtant, une joie indicible le soulevait quand il songeait aux quelques heures passées avec elle. Il n'était pas près d'oublier le bonheur qu'il avait éprouvé à de simples sensations retrouvées comme autrefois. Son parfum, sa voix, son rire, la douceur de sa peau, de ses lèvres. Sa silhouette si gracieuse, la courbe de ses hanches, de ses seins… tout était parfait en elle !

Mais ce qui l'attendrissait plus que tout, c'était le souvenir de son regard d'enfant blessée quand les deux méchantes vieilles dames lui avaient décoché leurs remarques assassines. Izzy voulait paraître dure et pleine d'assurance, toutefois il avait découvert à cette occasion qu'elle ne l'était pas du tout, en réalité.

A plusieurs reprises, d'ailleurs, il avait cru surprendre une lueur de grande tristesse au fond de ses yeux. Il avait d'abord pensé que c'était la nouvelle du décès de Julia qui en était la cause, mais ensuite il s'était rendu compte que ce n'était pas la seule raison. Il aurait voulu pouvoir l'aider, et pourtant il savait bien que c'était une idée folle. Izzy n'avait pas besoin de quelqu'un comme lui dans sa vie.

Il monta sur son tracteur, fit rugir le moteur et se mit en route. Pour se changer les idées, il brancha la radio et tenta de se concentrer sur un débat politique animé. Mais au bout de deux minutes, il l'éteignit en soupirant. C'était inutile, il ne parvenait pas à détacher sa pensée du souvenir d'Izzy.

— Monsieur O'Keefe, si vous voulez que nous trouvions un accord, il faut que vous me donniez plus d'informations.

La voix d'Izzy était péremptoire. Son interlocuteur leva sur elle des yeux étonnés.

— Mais, mademoiselle Brooke, quelles informations ?

Izzy laissa entendre un léger soupir d'impatience. Elle se composa un sourire aimable et reposa sa question sur un ton patient. S'il persistait à jouer ce jeu, elle allait se mettre en colère pour de bon ! Mais fort heureusement, il parut le deviner et appuya sur une touche de son téléphone.

— Deirdre, pouvez-vous venir, s'il vous plaît ?

La secrétaire apparut et jeta furtivement un coup d'œil curieux sur Izzy.

— Oui, monsieur O'Keefe ?

— Mlle Brooke me demande quelques informations supplémentaires. Pouvez-vous m'apporter les rapports d'audit des trois dernières années ?

La secrétaire ouvrit des yeux tout ronds.

— Mais, monsieur…

— Je crois qu'il vaut mieux fournir à Mlle Brooke tout ce qu'elle demande. Faites ce que je vous dis, Deirdre.

Peu après, la secrétaire revint dans le bureau, l'air ennuyé. Selon elle, lesdits dossiers avaient disparu. Izzy sentit son sang bouillir.

— Je crois que je ne vais rien pouvoir pour vous, monsieur O'Keefe, dit-elle en s'efforçant de garder son calme.

Comme elle se levait et faisait mine de sortir, il la rattrapa en bredouillant.

— Ne partez pas, mademoiselle Brooke ! Il faut nous laisser le temps de chercher. Pouvez-vous repasser demain ?

— Désolée, mais demain, j'ai une réunion à Londres.

Son interlocuteur parut réfléchir, puis fit un signe à Deirdre. Elle sortit de la pièce pour y revenir deux minutes plus tard, les bras chargés de dossiers. Izzy le regarda d'un air stupéfait.

— Vous n'avez pas saisi tous ces documents sur informatique ?

— Si, bien sûr, mais il n'y a rien de tel que le papier pour clarifier les choses. Mademoiselle Brooke, puis-je vous offrir une tasse de café ?

Izzy se rassit en soupirant. Pour la première fois depuis qu'elle exerçait ce métier, même l'envie de gagner l'abandonnait…

— Vous désirez me parler, madame Jenks ?

— Non, c'est moi qui ai deux mots à vous dire !

Le fils de Mme Jenks bombait le torse et décochait à Will un regard plein d'arrogance. Ses intentions étaient évidentes. Depuis que Will avait racheté la ferme de Mme Jenks tout en l'autorisant à y vivre jusqu'à la fin de ses jours sans exiger de loyer, son fils ne cessait de créer des conflits. Une fois c'était le chauffage qui marchait mal, une autre fois les fenêtres qui ne fermaient pas, bref, il trouvait toujours un prétexte pour lui soutirer de l'argent.

— C'est à propos du four à bois. Il serait temps de le remplacer par une cuisinière à gaz.

Mme Jenks se récria aussitôt.

— Je préfère cuisiner avec mon four à bois, comme je l'ai toujours fait !

— Mais voyons, maman, à ton âge et dans ton état de santé !

— Que sais-tu de mon état de santé ? Je vais très bien ! N'insiste pas, Simon, j'aime mieux mon four à bois !

— Maman !... Et les fenêtres ! Je croyais qu'elles avaient été isolées, mais l'air passe toujours.

La vieille dame poussa un soupir d'impatience.

— Pas du tout ! Ecoute, Simon, puisque tu as fini ton café, retourne à ton travail ! Tu vas être en retard.

Simon hocha la tête d'un air mauvais et sortit une pièce de sa poche.

— Laissez cela, monsieur Jenks, je vous offre ce café, s'empressa de dire Will.

Simon tourna les talons sans un mot tandis que sa mère le regardait s'éloigner d'un air soulagé.

— Ce garçon me rendra folle ! Vous savez, Will, que je me sens bien dans ma maison et que je n'ai pas besoin qu'on change quoi que ce soit.

— Simon croit parler pour votre bien, madame Jenks.

— Vous êtes trop bon ! Oh, voici vos adorables enfants ! C'est incroyable ce qu'ils poussent vite !

— C'est incroyable ce qu'ils sont sales ! renchérit Will en jetant un coup d'œil sur son « adorable »progéniture !

Il se leva d'un air furieux.

— Où sont-ils encore allés traîner ? Excusez-moi un instant, madame Jenks, il faut que je leur parle !

— Ne soyez pas trop dur, Will, ce ne sont que des enfants...

Mais Will ne l'entendait pas de cette oreille. Il salua Mme Jenks et entraîna Rebecca et Michael vers la maison en exigeant qu'ils aillent se laver sur-le-champ. Un quart d'heure plus tard, ils ressortaient de la salle de bains propres comme des sous neufs et vinrent rejoindre leur père dans la cuisine.

— J'aime bien Mme Jenks, dit Rebecca. Mais alors, son fils… c'est un vrai casse-pieds.

— Qu'est-ce qu'il voulait encore ? demanda Michael.

Will les regarda d'un air sévère.

— Ne cherchez pas à vous en tirer en changeant de sujet, tous les deux. Je veux des explications. Pourquoi étiez-vous aussi sales ?

— Oh… c'est parce que j'ai fait tomber quelque chose dans la mare et…

— Quelque chose ?

— Oui, euh… la chaussure de Beccy.

— Vraiment ? Puis-je savoir ce que tu faisais avec une chaussure de Beccy ?

— Il me l'avait volée pour m'embêter et comme je lui courais après, il a voulu me la lancer par-dessus la mare, mais elle est tombée dedans ! récita d'une traite la petite fille.

Michael prit un air fanfaron.

— Heureusement, on l'a retrouvée ! Et puis, comme elle est en tissu, Beccy pourra la laver.

— C'est toi qui vas la laver, décréta Will d'un ton sans appel.

— Mais papa…

— Et tu vas même le faire tout de suite !

Michael prit la chaussure et se dirigea vers l'évier en bougonnant. Beccy s'assit à la table et se mit à dessiner sans commentaire. Mais au bout d'un moment, elle toussota sans lever la tête de sa feuille de papier.

— Dis, papa… est-ce qu'Izzy est ta petite amie ?

Will faillit s'étrangler. Il tenta de masquer sa nervosité pour prendre un air désinvolte.

— Qu'est-ce que tu vas chercher là ?

— Mme Jenks disait avec grand-mère que tu étais son petit copain.

— Elle a dit que c'était il y a longtemps, avant que tu te maries avec maman, précisa Michael qui ne perdait pas une miette du dialogue.

Will se sentait soudain très mal à l'aise. Mais pourquoi ? C'était absurde de se sentir coupable d'une histoire qui avait eu lieu douze ans plus tôt ! Pourtant, c'était bien de la mauvaise conscience qu'il éprouvait en entendant les remarques de ses enfants.

— Izzy est une vieille amie, je vous l'ai bien dit.

— Tu n'avais pas dit qu'elle était ta fiancée.

— Elle n'a jamais été ma fiancée. C'est une amie, rien de plus. Michael, as-tu fini de nettoyer cette chaussure ? Je crois me rappeler que tu vas jouer au football cet après-midi, alors va vite déjeuner avec grand-père au Vieux Chariot !

— Papa… ? commença Rebecca.

— Toi aussi, Beccy.

— Mais papa, je ne voulais rien dire de mal sur Izzy… je la trouve bien, tu sais.

Will dut encore faire un effort pour garder son sang-froid. « Bien », Izzy ? Il aurait plutôt dit qu'elle était merveilleuse ! Mais il se garda de faire partager cette opinion à Beccy.

Les enfants étaient sortis depuis cinq bonnes minutes, et Will songeait encore aux propos de sa fille. Il se leva en soupirant pour monter dans son bureau et consulter son agenda. En vérifiant son emploi du temps de la semaine, il se rappela soudain qu'on l'avait sollicité pour participer à une réunion d'agriculteurs « bio » le jeudi suivant. Il avait noté la date sans intention réelle de s'y rendre car le meeting avait lieu à Londres mais tout à coup, il ne savait plus quelle décision prendre.

Il pourrait s'arranger avec ses employés pour s'éclipser une journée jusqu'à la capitale. Mais si c'était le cas… saurait-il résister à la tentation de rencontrer Izzy ? Boire un verre avec elle ne l'engagerait sans doute pas à grand-chose, mais… Non ! C'était trop dangereux ! Il fallait absolument éviter de la revoir !

Il referma l'agenda en se jurant de ne plus y songer. Cependant, quelques heures plus tard, alors qu'il venait de passer son temps à travailler, il s'aperçut que l'image d'Izzy ne l'avait pas quitté un seul instant de l'après-midi.

Juste un verre dans un café, un lieu public… cela ne devrait pas avoir trop d'importance. Il fallait prendre les choses calmement, avec une certaine distance. D'ailleurs, peut-être ne serait-elle pas disponible le jeudi suivant. Mais alors… irait-il tout de même à la réunion ? Certainement pas. C'était bien pour la voir et uniquement pour cette raison qu'il se rendrait à Londres, il devait se l'avouer…

Izzy avait décidé de prendre tout son temps pour réfléchir. Elle avait sous les yeux les documents que lui avait fournis M. O'Keefe. Elle les avait rapportés d'Irlande pour les examiner avec soin, mais pour le moment, elle n'avait aucune idée de la décision qu'elle allait prendre.

Kate apparut tout à coup après avoir frappé discrètement à la porte.

— Il y a là un monsieur qui demande à te voir.

— Oui ? Avait-il rendez-vous ?

— Non, mais il a les plus beaux yeux bleus que j'aie jamais vus ! Rien que pour ça, tu devrais lui parler !

— Offre-lui plutôt un café pour bavarder avec lui puisqu'il te plaît tant !

— Je le voudrais bien, mais c'est toi qu'il veut ! dit Kate en riant.

— A-t-il dit son nom ?

— Il s'appelle Will Thompson.

Izzy eut la sensation de recevoir une décharge électrique. Will ! Will était là !

Kate l'observait d'un air intrigué.

— Est-ce que tu veux toujours que je m'occupe de lui ?

— Euh… non, non ! Kate, sois gentille, apporte-moi du café !

— Je te rappelle que tu as un rendez-vous dans vingt minutes.

— Ah oui… avec qui, déjà ?

— Notre expert-comptable. Pour l'affaire de Dublin.

— Ah oui… David Lennox… Eh bien, il faut l'appeler pour annuler le rendez-vous.

Kate ouvrit des yeux tout ronds.

— Mais c'est impossible !

— Je lui faxerai toutes les informations, ne t'inquiète pas. D'ailleurs, je n'ai pas encore bien saisi le contenu de ces dossiers, il faut que je les relise.

Izzy se leva d'un bond et jeta un coup d'œil à son image dans la glace. Elle se passa la main dans les cheveux et humecta ses lèvres devenues soudain très sèches. Puis elle sortit de son bureau comme si elle partait pour la guerre. Son cœur battait à grands coups dans sa poitrine.

— Allons voir ce que me veut Will.

Ses jambes étaient devenues si molles soudain qu'elle eut beaucoup de mal à franchir les quelques mètres qui la séparaient du salon d'attente. Elle s'arrêta sur le seuil. Will regardait par la fenêtre mais il se retourna aussitôt. Il eut un sourire un peu compassé et s'avança lentement.

— Izzy…

— Will ! Quelle bonne surprise ! parvint-elle à dire en se donnant l'air dégagé.

— Je suis désolé, j'aurais dû t'avertir, mais je n'ai pas eu le temps. J'étais à une réunion à cinq minutes d'ici. J'ai pensé que c'était bête de ne pas venir te dire bonjour !

Le ton enjoué de Will cachait mal son trouble. Izzy lui rendit son sourire.

— C'est très sympa ! Viens dans mon bureau, Kate va nous faire du café !

— J'espère que je ne te dérange pas trop… Je ne veux pas te retarder.

— Non, non ! C'est la fin de la journée, je n'ai plus rien d'important à faire.

Si David Lennox l'avait entendue, il n'aurait pas beaucoup apprécié ! Mais le regard de Will fixé sur elle effaça bien vite l'image de l'expert-comptable. Les yeux bleus qui avaient tant impressionné Kate se promenaient de manière presque impudente sur la silhouette d'Izzy… Son pull et son pantalon étaient peut-être un peu trop moulants. D'habitude, elle ne portait jamais de vêtements aussi suggestifs dans le cadre de son travail. Pourquoi s'était-elle habillée ainsi ce matin ?

Elle respira profondément tandis que Will marchait à son côté et, après l'avoir fait entrer dans son bureau, en referma la porte machinalement. Elle s'en voulut aussitôt. Quelle imprudence que de se retrouver ainsi seule avec lui !

— Si tu avais le temps, nous aurions pu aller boire un verre quelque part…, reprit Will toujours aussi gêné.

— Mais… j'ai le temps, dit-elle très vite, heureuse de pouvoir éviter un entretien trop intime.

Il la regardait toujours avec la même insistance. Elle battit des paupières malgré elle.

— Veux-tu prendre un café ici avant de sortir ? A moins que tu ne sois pressé de reprendre ton train ?

— Oh non, il y en a toutes les heures, et mes parents gardent les enfants. C'est à toi de voir si tu as le temps…

Un léger coup sur la porte vint interrompre leur conversation. Kate apparut avec un plateau.

— Café ! dit-elle en adressant à Will un sourire incendiaire.

Il ne parut pas y être totalement insensible et lui sourit à son tour, quoique plus discrètement. Izzy sentit son sang bouillir. Non… impossible ! Elle n'était tout de même pas… jalouse ? C'était grotesque.

Kate se tourna vers elle d'un air ravi.

— J'ai eu David au téléphone, il était plutôt satisfait que tu annules votre rendez-vous. Je crois avoir compris qu'il était très en retard. Il propose demain à 9 heures, ça te convient ou c'est trop tôt ?

Elle avait jeté un furtif coup d'œil à Will en prononçant ces derniers mots. S'imaginait-elle qu'Izzy et lui allaient passer la nuit ensemble ?

— Non, c'est parfait, merci, Kate. Dis-moi, pourrais-tu prendre les messages pour moi ? Je m'absente un moment.

— Bien sûr. Bonne fin de journée, Izzy !

Cette dernière la regarda s'éclipser avec soulagement. Son air entendu commençait à l'agacer au plus haut point. Après quelques minutes passées à siroter une tasse de café tout en essayant de meubler la conversation, Izzy se leva avec une nonchalance très étudiée.

— Bon, allons-y ! dit-elle en prenant sa veste et son sac.

Will se leva et la rejoignit à la porte.

— Où allons-nous ? demanda-t-elle un peu stupidement.

— Je te suis. C'est toi qui connais Londres, pas moi.

Elle haussa les épaules.

— C'est vrai, tu as raison. Il y a un petit bar à vin très sympathique juste au coin de la rue. Ils servent même quelques bons petits plats.

Elle se mordit la lèvre. Will ne lui avait pas proposé de dîner ! Mais il hocha la tête d'un air convaincu.

— Je te fais confiance !

Il ne fallait pas qu'il la regarde de cette façon ! Elle se sentait fondre ! D'étranges sensations s'emparaient d'elle, des sensations oubliées depuis longtemps… Mais pourquoi les repousser ? Soudain, elle avait envie de se laisser porter par le destin. Sa fameuse volonté était-elle en train de l'abandonner ?

Il lui semblait qu'elle avait brusquement rajeuni. Elle se sentait légère, un peu comme si elle faisait l'école buissonnière ! C'était une chose dont elle avait toujours rêvé autrefois, mais qu'elle n'avait jamais eu l'audace de faire. Et soudain elle avait envie de rire et de profiter de la vie comme à quinze ans !

Ils étaient seuls dans l'ascenseur et Izzy éprouvait un trouble de plus en plus intense. Will était si près qu'elle pouvait respirer les effluves de son eau de toilette. Elle crut un instant qu'elle allait défaillir. C'était totalement ridicule, elle en était bien consciente. Que lui arrivait-il ? Et Will semblait aussi emprunté qu'elle…

— Tes bureaux sont… très chic ! dit-il d'une voix hésitante.

— Cet immeuble n'est pas mal, c'est vrai, répondit-elle.

Elle lui était si reconnaissante de rompre le silence qu'elle faillit l'embrasser ! Mais ce n'était sans doute pas une très bonne idée.

— Il est magnifique, tu veux dire, ajouta-t-il sur le même ton.

— Oh, il y a plus luxueux, mais il vaut toujours mieux ne pas s'installer dans des locaux trop haut de gamme. Le marbre et les miroirs font un peu « nouveau riche » !

Will se contenta de répondre par un léger rire. C'était vraiment une situation curieuse que de se retrouver à deux dans un espace aussi réduit avec une tension aussi forte. Heureusement, l'ascenseur venait de s'arrêter au rez-de-chaussée. Ils sortirent très vite et se retrouvèrent dans le grand hall parmi un tas de gens affairés.

En passant devant la réception, Will sourit gentiment à la jeune employée.

— J'ai trouvé mon chemin, merci !

La jeune fille rougit en lui rendant son sourire. Décidément, le charme de Will opérait toujours ! Izzy dut se faire violence pour ne pas l'agripper par le bras d'un geste possessif pour le soustraire à cette nouvelle conquête ! Mais la réceptionniste lui fit signe en brandissant une enveloppe.

— J'ai quelque chose pour vous, mademoiselle Brooke ! Ce pli vient juste d'arriver.

Izzy le prit et le mit dans son sac après avoir constaté que c'était encore un message de Steve. Elle l'avait presque oublié ! Elle adressa un sourire aimable à la jeune fille.

— Merci, Ally ! Je vous signale que je ne repasserai pas aujourd'hui, au cas où on me demanderait.

— Très bien. Bonne soirée, mademoiselle ! lança Ally tout en adressant un regard charmeur à Will.

Izzy parvint à garder son sourire mais se hâta d'entraîner Will jusqu'à la porte.

5.

Le bar à vin était plein à craquer. Izzy s'arrêta devant la porte d'un air ennuyé. Sans doute était-elle très déçue, se dit Will sans risquer le moindre commentaire. Mais à la réflexion, elle paraissait ennuyée depuis l'instant où elle l'avait vu arriver. Plus qu'ennuyée même, elle était nerveuse, et elle semblait par moments perdre un peu son sang-froid.

— C'est incroyable ! Il y a toujours pas mal de monde ici, mais en général, il reste une table ou deux libres. Il doit y avoir un anniversaire ou une fête quelconque.

— Ce n'est pas grave, nous pouvons aller ailleurs, répliqua Will en prenant soin de lui cacher sa satisfaction.

Il prisait peu les lieux à la mode, et s'il avait pu choisir lui-même un restaurant, il aurait plutôt suggéré un pub ou un endroit assez banal. Il se serait senti mal à l'aise parmi les gens élégants qui fréquentaient ce bar à vin apparemment très coté. Sa veste et son pantalon n'étaient certes pas du dernier cri. Et malgré sa cravate et sa chemise neuves achetées pour l'occasion, il savait bien qu'il avait l'air d'un provincial débarquant de sa campagne !

En observant les gens de ce quartier, il se dit qu'il devait passer pour un cousin en goguette. Un cousin un peu sur le retour d'ailleurs, comparé à ces fringants jeunes cadres vêtus de sombre qui couraient en tous sens. Ils paraissaient tous avoir moins de vingt-cinq ans, constata-t-il avec horreur. Et déjà, ils brandissaient sans vergogne de nombreuses cartes de crédit et de grosses montres en or qui scintillaient comme des soleils !

Izzy jeta un dernier coup d'œil hésitant sur la foule attablée dans le bar et fit volte-face en soupirant.

— Après tout, nous pourrions aller dans mon immeuble. Il y a un restaurant au rez-de-chaussée. Ou alors, si tu préfères, je peux préparer un petit repas à la maison… J'ai quelques bouteilles de bon vin…

Will n'en croyait pas ses oreilles. Il s'efforça de cacher la joie qui venait de s'emparer de lui.

— Pourquoi pas ? Si tu es sûre que cela ne te dérange pas, bien sûr.

— Non, non, je t'assure.

— Je… Ça me ferait très plaisir de connaître… ton cadre de vie.

Il se hâta de préciser pour qu'il n'y ait pas d'équivoque :

— C'est vrai, tu sais, quand on pense à quelqu'un, c'est bien de pouvoir l'imaginer dans son décor habituel, dans son environnement.

Quelles bêtises était-il en train de raconter ? Il se tut de peur de s'enferrer davantage.

— Bon, allons-y, décida-t-elle brusquement.

Chez elle au moins, Will ne serait pas entouré de jeunes filles trop séduisantes qui passeraient la soirée à lui sourire ou pire encore ! Elle le prit par le bras pour l'entraîner à une allure martiale.

— Tu as l'air bien pressée ! dit-il en riant.

Elle le relâcha et ralentit le pas.

— Excuse-moi, j'ai l'habitude de marcher vite, c'est mon seul exercice physique.

Il jeta un coup d'œil sur ses escarpins aux talons de huit centimètres.

— Avec ces chaussures ?

— Oui, bien sûr ! Je n'en porte pas d'autres. Tu sais, il faut que je paraisse grande pour impressionner mes interlocuteurs !

Il eut un sourire incrédule.

— Je ne crois pas que ce soit nécessaire. Tu as d'autres arguments pour impressionner. Ne serait-ce que ta réputation.

— Disons alors que je me sens mieux comme ça.

— Je me suis toujours demandé comment faisaient les femmes pour marcher avec ce genre de souliers ! Moi, j'en serais incapable.

Izzy lui glissa un regard moqueur.

— J'adorerais te voir essayer !

— Désolé, mais je ne me sens pas prêt ! Même pour te faire plaisir !

C'était bon de rire ensemble. Comme si toute la tension des dernières heures s'estompait enfin.

Izzy n'avait donc pas changé ! songea Will. Elle aimait toujours s'amuser, son humour était intact. Revivre avec elle des instants de complicité donnait à Will un sentiment de joie tel qu'il n'en avait pas ressenti depuis longtemps. Il en oubliait la prodigieuse richesse et le succès insolent de son amie.

Ils passèrent devant un grand immeuble de brique pâle et de verre, œuvre d'un architecte contemporain sans doute.

— J'ai failli acheter un appartement ici, dit-elle en désignant la bâtisse.

Will se garda de lui dire que cela ressemblait plus à une usine qu'à un immeuble d'habitation.

Izzy précisa :

— Ce sont de grands volumes non structurés, un ensemble de lofts, autrement dit. Mais je n'aimais pas beaucoup le côté austère avec des poutres métalliques dans tous les sens. Et puis, je voulais avoir la vue sur la Tamise.

En effet, une femme comme elle se devait d'avoir une grande baie donnant sur le fleuve ! C'était sans doute nécessaire pour une personne avec le statut social d'Izzy, songea Will. Mais après tout, n'avait-il pas lui aussi une maison avec vue sur un fleuve ?

Non, ce n'était qu'une rivière, une modeste rivière de campagne. Pas la Tamise !

Ils arrivèrent devant un immeuble blanc plus traditionnel. Izzy s'arrêta devant l'entrée, une large porte de verre et d'acier.

— Voilà, nous y sommes !

Elle composa un code et le précéda dans le hall. Will faillit pousser un sifflement d'admiration mais se retint. Du sol au plafond, c'était un décor de marbre blanc et rose, que de grands miroirs multipliaient encore à l'infini. Sur l'un des côtés se trouvait un genre de bureau occupé par un gardien en uniforme. Juste en face, on pouvait voir l'entrée d'un restaurant.

— Nous pouvons dîner là, si tu préfères, lança Izzy en passant devant.

Elle dut remarquer sa moue hésitante car elle n'attendit pas sa réponse.

— Mais puisque nous sommes ici, autant monter chez moi... Bonsoir, George !

Le gardien lui sourit avec déférence.

— Bonsoir, mademoiselle Brooke. La livraison de votre traiteur est arrivée. J'ai rangé tous les produits au frais dans votre cuisine.

— Merci beaucoup. Des messages ?

— Non, à part votre courrier.

Il lui tendit un paquet de lettres. Izzy le remercia avec un sourire qui rendit Will un peu nerveux. Mais son attention fut détournée par l'arrivée d'un homme vêtu d'un survêtement, une serviette-éponge sur l'épaule. Il s'approchait d'Izzy d'un air malicieux.

— Salut, Iz ! Dis-moi, je ne t'ai pas vue au cours de gym cette semaine !

Elle le gratifia de son fameux sourire capable de rendre Will complètement fou.

— Je suis débordée en ce moment, Freddie. Mais je vais bientôt revenir, c'est promis.

L'homme leva un doigt comme en signe d'avertissement.

— Il faut absolument, sinon ton épaule va encore te faire des misères !

Il disparut sur un clin d'œil complice. Izzy se dirigea vers l'ascenseur, suivie de Will qui ne disait mot. Quelques secondes plus tard, ils se retrouvaient devant la porte de son appartement.

La première chose qui frappait le regard en entrant, c'était la lumière qui nimbait cet espace complètement inondé de soleil. Will s'avança jusqu'aux larges baies vitrées pour admirer le paysage. Au-delà de la vaste terrasse, le fleuve, tout proche, et les nombreux bateaux ressemblaient à de ravissantes miniatures.

Izzy appuya sur un bouton et les portes vitrées s'ouvrirent comme par enchantement.

— Viens voir mes plantations ! dit-elle fièrement.

Will la suivit sur la terrasse, qui était en effet couverte de plantes magnifiques.

— C'est un vrai jardin ! commenta-t-il en se demandant à combien pouvait s'élever le loyer d'un tel appartement.

Il toucha une feuille luisante en hochant la tête.

— Tu dois passer un temps fou à les arroser !

— Non, il y a un système d'irrigation automatique. Je suis souvent absente, tu sais.

Tout cela allait de soi !

Il s'approcha de la balustrade et se pencha pour regarder au-dessous. La vue était vertigineuse. Sur les quais, les êtres humains ressemblaient à des fourmis et même le vacarme des sirènes et du trafic arrivait très assourdi à cet étage.

En se retournant, il heurta une branche de plante exotique dont les fleurs exhalaient un doux parfum. Il s'en remplit les poumons pour tenter d'oublier le décor citadin inhospitalier. Puis il rejoignit Izzy, déjà rentrée à l'intérieur dans son univers de calme absolu entièrement sous contrôle.

C'était un antre de luxe, plutôt froid mais paisible et de bon goût. Will songea à son propre intérieur perpétuellement en désordre et soupira tout bas. Qu'en avait-elle pensé ? Et que pensait-elle de lui ?

— Assieds-toi ! Que veux-tu boire ?

La voix d'Izzy le fit revenir à la réalité. Il sursauta presque.

— Je ne sais pas. Pour l'instant, je crois que j'aimerais tout simplement un grand verre d'eau fraîche.

— Tu ne préfères pas un jus de fruits, ou un thé glacé ?

— Non, merci, j'ai vraiment envie d'eau pure.

— Comme tu voudras.

Elle se dirigea vers une cuisine ultramoderne dont il pouvait voir une partie ouverte de l'endroit où il se trouvait. Izzy prit une bouteille dans un réfrigérateur intégré au mur de bois sombre. Elle la posa sur un plateau avec deux grands verres et revint en souriant un peu mécaniquement, semblait-il.

— Tu as raison, c'est ce qu'il y a de meilleur pour l'organisme ! conclut-elle en le servant.

Will dut réprimer un nouveau soupir. Combien de temps allaient-ils passer à échanger ce genre de banalités au lieu de se parler vraiment ? Mais… après toutes ces années, avaient-ils encore quelque chose à se dire ?

Décidément, Will avait l'air très mal à l'aise, songea Izzy. Il avait englouti son verre d'eau en moins de trois secondes, comme s'il arrivait d'un séjour dans le désert ! Et elle commençait à ne plus se sentir très bien, elle non plus. Pourtant, elle tenta de faire face en souriant toujours. Après l'avoir resservi, elle se laissa tomber sur le canapé.

— Viens donc t'asseoir ici, c'est plus confortable, risqua-t-elle en tapotant les coussins pour l'inviter à quitter sa chaise.

Will parut hésiter.

— Oh, je préfère rester ici, on voit mieux le fleuve.

Il ôta brusquement sa veste et sa cravate, puis croisa les jambes comme pour se donner un air détendu. Il promenait autour de lui un regard absent.

— Tu as un bel appartement.

Elle posa sur lui des yeux moqueurs.

— Je suis sûre que tu le détestes !

Il sursauta et eut un léger rire.

— Pas du tout ! Je n'aimerais pas y vivre, c'est certain, parce que mon environnement me manquerait trop, mais je le trouve très élégant. De toute manière, le problème ne se pose pas, vu que je ne gagne pas la moitié de ce qu'il vaut !

— Moi aussi, la campagne me manque parfois. Les arbres, les animaux, je suis née avec, et je m'en souviens.

— Tu n'as même pas un animal de compagnie ?

— Non, c'est impossible, je m'absente trop souvent pour mon travail.

— Ce doit être infernal, non ? Moi qui ai du mal à gérer toutes mes activités à la ferme, je me demande comment tu fais pour assumer un emploi du temps comme le tien !

— Je délègue beaucoup, tu sais. J'ai Kate pour m'assister, heureusement, c'est une perle.

Il soupira de manière presque comique.

— J'aurais bien besoin d'une Kate moi aussi ! Tu ne pourrais pas lui suggérer de venir m'aider ? Mais je serais obligé de la payer en douzaines d'œufs !

Izzy éclata de rire.

— J'imagine sa tête si on le lui proposait !

Mais elle reprit son sérieux aussitôt.

— Je crois me rappeler que tu avais des projets différents autrefois… Tu jurais de ne jamais travailler à la ferme avec ton père, si je me rappelle bien.

— Mon père a eu un accident peu avant mon mariage. Il est resté de longs mois impotent. J'ai été bien obligé de prendre sa place à la ferme. Et puis, peu à peu, je me suis aperçu que c'était un travail qui me convenait, en réalité.

— Et finalement… tu n'es pas allé à l'université ?

— Si, en quelque sorte. J'ai suivi les cours de l'école d'agronomie. J'ai obtenu un diplôme de gestion dans ce domaine.

— Mais tu voulais t'inscrire en Génie Civil, non ?

Il secoua la tête d'un air déterminé.

— Je suis heureux comme ça, Izzy, tu sais. Je ne regrette rien. J'aurais eu du mal à travailler dans un bureau. Mes activités sont très variées, en fin de compte.

Il posa sur elle un regard plein de tendresse.

— Mais parlons un peu de toi, Izzy.

— Euh, oui, pourquoi pas ? Que veux-tu savoir ?

— Es-tu heureuse de la vie que tu mènes ?

La question était délicate. Elle se mit à fixer le bout de ses chaussures. Pouvait-elle sincèrement répondre oui ? Certes, son travail lui apportait de nombreuses satisfactions. Elle était respectée et très riche. Elle pouvait s'offrir tout ce qu'elle désirait, ou presque. Mais était-elle heureuse ?

— A peu près. Evidemment, j'aspire à certaines choses que je n'ai pas encore…

« Toi, par exemple ! » C'est ce qu'elle avait envie de crier ! Mais c'était impossible de le lui avouer. Comment lui confier qu'elle ne rêvait que de s'éveiller le matin entre ses bras ? D'avoir un enfant de lui ? De le chérir jusqu'à la fin de ses jours ?

Mon Dieu ! Déjà le fait de se l'avouer à elle-même lui semblait une folie ! Elle se redressa d'un bond, comme pour chasser toutes ces idées stupides.

— Je vais chercher une bouteille de vin. Que préfères-tu ? Blanc ou rouge ? Champagne ? Nous pourrions fêter nos retrouvailles !

Il parut hésiter un instant.

— Je préférerais du vin rouge si cela ne t'ennuie pas. Mais j'en boirai très peu de toute façon, je dois conduire pour rentrer.

— J'ai un très bon bordeaux, tu vas voir.

— Bon, d'accord. Veux-tu que je l'ouvre ?

Sans attendre sa réponse, il la suivit dans la cuisine. Tandis qu'il s'emparait de la bouteille, Izzy ne put s'empêcher de regarder avec attendrissement ses mains rudes de travailleur manuel. C'était si émouvant pour elle de songer à la vie qu'il menait là-bas, dans leur pays natal. Elle dut refouler un vague sanglot qu'elle cacha en se retournant pour aller chercher des verres.

En les posant sur la table, elle effleura le bras de Will et ce simple contact fit courir à travers tout son corps un étrange frisson. Elle faillit faire tomber l'une des coupes de cristal.

— Oh, quelle maladroite ! dit-elle nerveusement.

Will tendit la main pour lui venir en aide et ses doigts frôlèrent les siens. Alors, en la sentant tressaillir, il s'approcha lentement et vint lui caresser la joue. Ses mains fermes habituées au travail de la terre étaient soudain devenues légères comme des plumes.

— Tu m'as beaucoup manqué, Izzy, dit-il à voix basse.

Elle fut incapable de répondre tant sa gorge était nouée. Son cœur se mit à battre très fort. La main de Will se promenait sur son visage et il caressa furtivement de l'index ses lèvres frémissantes. Puis sa main se perdit dans ses cheveux et il posa un doux baiser sur sa tempe.

74

— Tu m'as vraiment manqué, tu sais…, répéta-t-il en l'attirant contre lui.

Le souffle court, Izzy se blottit contre son torse rassurant. A cet instant, il lui prit le menton et se pencha pour l'embrasser. Alors, ne cherchant plus à résister, elle entrouvrit ses lèvres pour s'offrir à son étreinte. C'était la première fois depuis de longues années et pourtant il lui semblait qu'ils ne s'étaient jamais quittés.

C'était si bon qu'elle était sur le point d'en défaillir. Elle n'entendait même plus la petite voix intérieure qui la rappelait d'habitude à l'ordre et l'incitait à la prudence. Soudain, elle oubliait tout. Elle oubliait la douleur qu'elle avait ressentie après leur séparation, son désespoir quand elle avait appris qu'il en épousait une autre et les longues années de solitude et de tristesse qu'elle avait vécues depuis ce temps.

Elle oubliait que tout projet avec lui serait une folie, qu'il passait son temps à travailler durement à la ferme et à s'occuper de sa famille, et qu'elle-même n'avait pas la moindre place à lui accorder dans sa vie…

A cet instant précis, sa raison et son flegme légendaires l'abandonnaient tout à fait, rien ne comptait plus que le bonheur d'être de nouveau dans les bras de Will. Tandis qu'il la berçait sensuellement, son corps en feu épousait le sien et s'offrait à ses caresses.

Quand il abandonna enfin sa bouche pour plonger ses yeux dans les siens et prendre son visage entre ses mains, elle était sur le point de s'évanouir. Il posa encore un léger baiser sur ses lèvres entrouvertes.

— Pardon, Izzy, je crois que j'ai perdu la tête…, murmura-t-il avec regret.

Elle se força à sourire. Elle ne trouvait rien à répondre et elle devait surtout lutter contre l'envie folle de se jeter de nouveau à son cou. Mais il semblait sincèrement contrit, ce qui la mettait encore plus mal à l'aise.

— Je n'aurais pas dû faire ça…, répéta-t-il d'un air malheureux.

Elle prit à grand-peine une mine désinvolte.

— Oh, ce n'était qu'un baiser après tout ! Il n'y a pas de quoi fouetter un chat ! Et en plus, ce n'était pas la première fois, n'est-ce pas ?

Elle se mordit la lèvre. C'était justement la chose à ne pas évoquer ! A quoi bon réveiller les vieux fantômes ?

Mais n'était-ce pas la raison pour laquelle il avait cherché à la revoir ? Le fait qu'il soit venu la retrouver prouvait bien son envie de faire resurgir le passé. Sinon, quelles étaient ses motivations ? Tout se bousculait dans sa tête, elle se sentait soudain incapable de réfléchir…

— Un peu de vin ? demanda-t-elle à brûle-pourpoint en remplissant les verres.

— Oui, merci, dit-il faiblement.

Il s'était reculé de quelques pas et regardait par la fenêtre. Izzy avait soudain envie de se gifler. Pourquoi avait-elle répondu à ses caresses avec autant de fougue ? Qu'allait-il s'imaginer ? Mais ce n'était pas sa faute si son corps était incapable de mentir… Elle avait rêvé si longtemps de le revoir ! Douze longues années à l'espérer sans y croire. Et maintenant que Will se trouvait là, tout proche, il fallait qu'elle savoure chaque seconde de sa présence.

— Allons nous asseoir, dit-elle en passant dans le salon.

Elle alla s'asseoir sur le sofa et il choisit de reprendre sa place sur la chaise.

— Tu ne m'as pas expliqué ce que tu étais venu faire à Londres, poursuivit-elle sur un ton presque mondain.

— J'ai assisté à une conférence sur les nouveaux modes de financement possibles pour l'agriculture biologique.

— C'était intéressant pour ton entreprise ?

— Non, pas vraiment. Ces projets ne concernent pas les petites exploitations comme la mienne.

Il but une gorgée de vin et se tut. A quoi songeait-il ? Sans doute regrettait-il encore de l'avoir embrassée. Il avait cédé à un réflexe stupide alors qu'il voulait seulement renouer avec elle une relation amicale…

— Je n'aurais pas dû venir, dit-il brutalement.

Elle faillit pousser un cri pour le contredire mais se retint.

— Je me croyais capable de te revoir de temps à autre en ami, mais c'est trop difficile…, ajouta-t-il gravement.

Comme elle ne répondait rien, il poursuivit en hochant la tête :

— Nous ne pouvons pas faire comme si le passé n'existait pas. Et puis… nos vies sont trop différentes.

Il leva les yeux en quête de son regard. Il avait l'air terriblement triste tout à coup.

De son côté, Izzy ne pouvait prononcer le moindre mot.

— Nous ne pouvons pas avoir une aventure ensemble, toi et moi, ce ne serait pas raisonnable. Je crois que je ferais mieux de partir et… il vaudrait mieux ne pas nous revoir avant un certain temps.

Elle eut un léger rire dont elle ne put masquer l'amertume.

— Une douzaine d'années, sans doute ?

— Je suis désolé, Izzy ! soupira-t-il d'un air douloureux.

Il posa son verre sur la table basse et se leva d'un bond.

— Ne me raccompagne pas, Izzy, je connais le chemin.

Il prit sa veste et s'approcha d'elle. C'était seulement pour poser un chaste baiser sur son front.

— Prends soin de toi, Izzy. Et si un jour tu as besoin d'aide, appelle-moi, je serai toujours là.

Elle dut se faire violence pour refouler les sanglots qui lui nouaient la gorge.

— Je savais que nous n'aurions pas dû nous revoir…, murmura-t-elle d'une voix éteinte.

Malgré ses efforts, ses yeux se remplirent de larmes et l'une d'elles roula sur sa joue. Will l'essuya tendrement du bout des doigts. Puis il s'échappa très vite vers la porte d'entrée qu'il ouvrit maladroitement. Il la tira derrière lui sans se retourner. Izzy entendit le déclic de l'ascenseur, puis plus rien.

Elle s'effondra sur le canapé et sanglota longtemps sans pouvoir s'arrêter. Enfin, au bout de plusieurs minutes, elle essuya ses yeux rougis et se leva pour aller laver les verres. En passant devant le grand miroir, elle hocha la tête.

— Idiote ! dit-elle en croisant son image.

Freddie avait raison, il fallait qu'elle reprenne les cours de gymnastique. Le soir même, elle irait nager un peu et puis s'acheter quelque chose à grignoter avant de se mettre au lit de bonne heure.

— Alors, cette conférence ?

— Oh, il y avait des choses intéressantes, répondit Will à son père.

Mais il était incapable de se rappeler lesquelles. La seule image qui hantait son esprit était le visage d'Izzy en pleurs.

— J'ai rapporté de la documentation, ajouta-t-il d'un air absent.

— As-tu rencontré des personnes que tu connais ?

— Une ou deux… J'ai bu un verre avec quelqu'un avant de reprendre mon train.

— Qui ça ?

— Oh, un type que tu ne connais pas. Dis-moi, y a-t-il eu des messages pour moi ?

— Non, rien. Tu bois une bière avec moi, Will ?

— Non, merci, il faut que j'aille coucher les enfants.

— Laisse-les ici, ils regardent une vidéo, suggéra Mme Thompson.

— Je ne veux pas leur en donner l'habitude.

— Ils sont en vacances ! Ils ont bien le droit d'aller au lit un peu plus tard. Tu sais qu'ils adorent dormir chez nous.

— Tu les gâtes trop.

Il se laissa pourtant convaincre et alla les embrasser dans le salon. Puis après avoir dit bonsoir à ses parents, il sortit pour retourner chez lui, son chien sur ses talons.

— Tu es supposé être un chien de garde, Banjo ! lui dit-il en le laissant entrer.

Il lui tapota la tête et le chien reconnaissant lui lécha la main. Will grimpa distraitement dans sa chambre pour se changer. Il enfila en soupirant son vieux jean et sa chemise de pilou. Ses vêtements de la journée avaient gardé l'odeur de Londres. Il lui semblait entendre encore la rumeur du trafic et sentir sous ses pieds la vibration du métro.

Comment Izzy pouvait-elle supporter une vie aussi trépidante ? Sans doute profitait-elle des bons aspects de la ville. Elle avait assez d'argent pour sortir dans les meilleurs restaurants, aller au théâtre ou au concert. Elle devait apprécier tous les événements culturels qui lui étaient offerts. C'était évidemment un avantage de la capitale pour qui était capable d'en supporter les inconvénients !

Il mit ses bottes de caoutchouc et redescendit. Banjo l'attendait et ne se fit pas prier pour faire avec lui une grande promenade autour de la ferme. Après avoir vérifié que tout était en ordre, Will alla s'accouder comme chaque soir à la clôture de bois pour humer l'air fais et s'imprégner du silence nocturne, à peine troublé de mille petits bruissements.

Le cri sourd de la chouette au loin et les discrets froissements d'ailes dans les arbres tout proches lui procuraient une bienheureuse sensation de paix. Un léger sourire se dessina sur ses lèvres.

Mais bientôt, il se remit à songer à Izzy. Quand il lui avait demandé si elle était heureuse, elle avait répondu qu'elle l'était à peu près, ou quelque chose de ce genre. Lui-même avait prétendu l'être, mais il savait bien qu'il s'agissait plutôt d'un ensemble de satisfactions que lui apportait sa vie à la campagne. Et pourtant, depuis un certain temps, même ce contentement lui faisait défaut. Il était en proie à une sorte de tristesse permanente qu'il ne parvenait pas à contrôler.

Quand il pensait à leur entrevue de l'après-midi, son cœur s'affolait comme celui d'un collégien. Le simple baiser qu'ils avaient échangé l'avait mis sens dessus dessous. Sans doute était-ce parce qu'il n'avait plus tenu une femme dans ses bras depuis très longtemps. Mais aussi parce que leur brève étreinte avait fait surgir dans sa mémoire le souvenir de leur idylle d'autrefois. Et il sentait se rouvrir une blessure qu'il croyait cicatrisée, mais dont la douleur redevenait tout à coup lancinante.

Il revoyait le visage décomposé d'Izzy lorsqu'il était parti, cette larme glissant le long de sa joue. Il avait failli rester auprès d'elle, il lui avait fallu beaucoup de courage pour se rappeler ses bonnes résolutions et prendre la fuite ! S'il était resté, ils auraient fait l'amour et il n'aurait plus trouvé la force de la quitter.

Ses mains se crispèrent sur la barrière de bois et il hocha la tête en prenant conscience de sa faiblesse. Parviendrait-il un jour à chasser Izzy de ses pensées ? Malgré toute sa volonté, il lui semblait que ce serait impossible. Il garderait toujours au fond de son cœur cet amour secret sans pouvoir s'en libérer.

6.

Le lundi suivant, Izzy se rendit de nouveau à Dublin, comme prévu, pour rencontrer Daniel O'Keefe. Elle n'avait pas grand espoir de parvenir à un accord intéressant avec lui. Il paraissait peu fiable et les documents qu'il lui avait fournis n'étaient pas très clairs. David Lennox l'avait mise en garde en soulignant l'opacité de sa situation. Mais comme David se méfiait toujours de tout, Izzy restait perplexe. Elle décida de tenter une nouvelle entrevue et de ne prendre aucune décision si la réponse n'était pas absolument limpide.

Elle était dans le bureau de Daniel O'Keefe depuis une heure et lui répétait ses conditions.

— Quarante-cinq pour cent, et nous sommes généreux, monsieur O'Keefe.

Izzy obtint pour seule réponse une moue dubitative.

— C'est une offre raisonnable, monsieur O'Keefe. Si vous l'acceptez, nous réaliserons tous les deux une bonne affaire, croyez-moi.

— Cinquante, répéta-t-il obstinément.

Elle fit un effort pour lui sourire.

— Croyez-vous que je perdrais mon temps à négocier avec vous pour perdre de l'argent ? Parlez-moi un peu de Cork's.

— Cork est une belle ville, et la campagne autour est magnifique.

— Monsieur, O'Keefe ! Il ne s'agit pas de tourisme ! Vous avez eu un litige avec la société Cork's. Mais aucun de ces documents n'en fait état.

Izzy ne le quittait pas des yeux. Il s'agita un peu sur sa chaise.

— Cela m'étonne, mademoiselle Brooke. Il y a dans ce dossier un relevé de toutes nos tractations avec cette entreprise. Comme vous le savez, c'est une société de transports avec laquelle nous travaillons assez souvent.

— Leurs tarifs sont très élevés.

— Oui, mais ils sont les meilleurs.

— Vous leur devez des sommes importantes.

— Non, tout est réglé entre eux et nous !

— Ce n'est pas ce que j'ai cru comprendre en consultant votre comptabilité.

Elle laissa échapper un soupir de découragement. Cet homme possédait bien le charme légendaire des Irlandais, mais c'était un fieffé menteur !

— Restons-en là, monsieur O'Keefe, dit-elle en se levant.

Il regarda d'un air stupide la main qu'elle lui tendait. Puis il se leva à son tour d'un air désolé.

— C'est dommage, mademoiselle Brooke, vraiment dommage... je crois que nous nous serions bien entendus vous et moi.

Izzy sourit intérieurement. C'était surtout l'argent de sa société qui l'aurait intéressé !

— Tant pis, que voulez-vous ! Au revoir, monsieur O'Keefe, je vous enverrai la facture pour le travail de mon expert-comptable.

Elle n'avait pas grand espoir d'être payée. Elle avait probablement perdu son temps et elle fulminait en y songeant. Elle se hâta d'appeler un taxi pour aller reprendre son avion. A 16 heures, elle atterrissait sous une pluie battante à Stansted, l'aéroport situé à une vingtaine de kilomètres de Londres.

Une véritable tempête s'était abattue quelques heures plus tôt sur la région et on apprit aux passagers de son vol que l'autoroute en direction de la capitale était encore coupée pour cause d'accidents en série dus au mauvais temps. Au guichet d'information, une foule de gens tentaient d'en savoir un peu plus sur la situation, qui ne semblait pas fameuse.

Izzy qui n'aspirait qu'à se retrouver au calme chez elle avec une bonne tasse de thé se remit à maugréer contre O'Keefe, à qui elle devait d'avoir perdu sa journée et d'être bloquée stupidement dans cet aéroport ! Elle tentait de se frayer un chemin parmi les gens furieux amassés devant le guichet quand soudain, elle glissa sur le sol mouillé et se retrouva gisant par terre, le bras plié sous le poids de son corps, avec une douleur si aiguë qu'elle faillit hurler. Mais elle se retint et se contenta de grommeler en maudissant le sort tandis qu'on s'empressait autour d'elle pour lui venir en aide.

Will décrocha le téléphone en se demandant qui pouvait bien l'appeler car il n'attendait aucun coup de fil.

— Will ? C'est Izzy. Je suis bloquée à Stansted et en plus, je viens de me casser le bras ! Il n'y a pas d'ambulance, toutes les routes sont impraticables apparemment…

La communication fut interrompue brutalement. Will se hâta de la rappeler sur son portable.

— Izzy ? Comment vas-tu ?

Elle tenta de prendre un ton plus serein malgré la douleur.

— Excuse-moi de t'ennuyer, Will. Je n'ai pas pu joindre Kate et j'avais juste envie d'entendre une voix amicale.

— Tu as le bras cassé ?

Il avait l'air affolé. Elle avala sa salive et respira un grand coup. Will s'impatientait.

— Izzy ? Tu m'entends ?

— Oui, je pense… j'ai très mal.

— As-tu essayé d'appeler une ambulance ? Il faut insister !

— Les routes sont bloquées, Will.

— Mais tu peux tout de même prendre quelque chose contre la douleur !

— Oui, bien sûr. Il y a un médecin ici, il m'a donné un analgésique, mais c'est insuffisant. Il dit qu'il faudrait m'opérer.

— Dans quelle partie de l'aéroport te trouves-tu ?

— On m'a installée dans l'infirmerie du terminal central. Ne t'inquiète pas.

La communication fut de nouveau interrompue. Will rappela très vite, mais sans parvenir à joindre Izzy. Il essaya encore et encore, mais les circuits semblaient coupés. Alors, sans hésiter, il se leva, et se rua dehors pour prendre sa voiture.

— Izzy ?

Elle ouvrit les yeux en gémissant. La douleur était moins terrible mais encore présente.

— Will ! Que fais-tu là ?

Il sourit faiblement.

— Je suis venu m'occuper de toi.

C'était incroyable ! Elle devait rêver ! Les analgésiques l'avaient plongée dans une sorte d'état second.

— Mais… je croyais que toutes les routes étaient bloquées… Comment as-tu pu venir ?

— C'est un secret ! dit-il d'un air malicieux.

Il se pencha pour poser un baiser sur son front.

— Je vais te ramener à la maison.

— Mais… comment ?

— J'ai une ambulance volante !

— Quoi ?

— Non, pas exactement. C'est le frère de Rob, tu te souviens de lui ? Il a un hélicoptère. Je l'ai soudoyé ! Tu viens ?

Izzy tenta de se relever mais le mouvement qu'elle fit lui arracha une grimace. Will la prit contre lui pour la soutenir fermement du côté de son bras valide.

— Comme ça, ce n'est pas trop dur ?

— Je crois que ça ira...

— Laisse-toi porter, ma petite fille ! dit-il d'une voix tendrement moqueuse.

A l'extérieur, une voiture les attendait qui les transporta jusqu'à l'aire d'atterrissage des hélicoptères. Andrew, le frère de Rob, leur fit signe en s'approchant pour aider Will à la soulever. Elle se retrouva bientôt installée confortablement dans la cabine et l'appareil put décoller.

Alors qu'ils s'élevaient dans les airs, elle eut une brusque nausée, qui se calma heureusement très vite quand ils prirent de l'altitude. Le vol lui parut très court et bientôt, ils atterrissaient de nouveau. Will sauta le premier sur le sol en passant sous les pales et vint lui ouvrir. Ils se trouvaient dans un pré d'où l'on pouvait apercevoir de grands bâtiments blancs bien éclairés.

— Où sommes-nous ? demanda-t-elle, toujours un peu assommée par les médicaments.

— A l'hôpital d'Ipswich. Regarde, on vient te chercher avec un brancard.

Elle se laissa porter avec un soupir de soulagement. Il était temps. A peine fut-elle allongée sur le brancard qu'elle perdit connaissance.

— Will ?

Izzy avait une voix très faible. Ses paupières avaient beaucoup de mal à rester ouvertes.

— Je suis là, ma Belle au bois dormant ! Comment te sens-tu ?

— Mieux, merci. Mais… tu as laissé tes enfants…

— Non, ils sont avec mes parents, ne t'inquiète pas. Dis-moi, as-tu encore mal ?

— Un peu, à la main surtout.

— On t'a posé une attelle au bras. Mais il faudra t'opérer demain matin.

— C'est impossible, j'ai une réunion importante !

Will ne put s'empêcher de rire.

— Ah non ! Je suis désolé de te le dire, ma chère, mais tu ne pourras pas travailler avant un certain nombre de jours. Et on te laissera sortir d'ici à la seule condition de trouver quelqu'un pour veiller sur ta convalescence.

— Mais… je n'ai personne.

— Si, moi. Tu vas venir t'installer à la maison.

— Mais Will…

— Chut ! Pas de discussion ! Et maintenant, tu vas dormir un peu, je reviendrai te voir demain matin.

Il déposa un chaste baiser sur son front et sortit de la chambre sans autre commentaire. Le bruit de ses pas résonnant dans le couloir fit battre le cœur d'Izzy comme celui d'une adolescente. Elle était folle, oui, vraiment folle !

Deux jours plus tard, en s'éveillant, Izzy poussa un soupir de soulagement. Enfin, la douleur s'était estompée. L'avant-veille, elle avait passé une journée horrible, à moitié inconsciente et nauséeuse après l'opération, et ensuite assommée par une douleur lancinante malgré les analgésiques. Entre deux sommes agités, elle avait seulement pu constater que Will n'avait pas quitté son chevet.

La veille enfin, on l'avait autorisée à sortir de l'hôpital, et Will l'avait amenée ici, dans cette chambre au premier étage de la ferme. Il l'avait veillée presque tout le jour car elle souffrait encore. Et là, pour la première fois, elle se trouvait seule dans sa chambre. Le malaise qu'elle en ressentit la surprit un peu. Elle savait bien qu'il avait beaucoup de travail, lui aussi. Il ne pouvait pas lui sacrifier tout son temps.

Izzy jeta un coup d'œil autour d'elle. Jusque-là, elle n'avait pas eu la force de regarder la pièce où elle se trouvait. C'était une petite chambre aux murs blancs avec quelques meubles anciens de pin clair qui sentaient bon la cire. Sur un joli fauteuil d'osier se trouvait jetée une robe de chambre de laine bleue. A qui appartenait-elle ? A Julia peut-être ?

Elle eut un frisson à cette pensée. Cette chambre était-elle celle de Julia ? Etait-ce elle qui l'avait décorée autrefois avec amour ?

Un léger coup frappé à la porte mit fin à ces désagréables élucubrations. Elle rejeta la couette et s'assit au bord du grand lit. Mme Thompson passa la tête et lui adressa un grand sourire.

— Ah, tu es réveillée ! Comment te sens-tu ? Tiens, mets ma robe de chambre. Tu sais, je ne l'ai jamais portée, je l'avais achetée pour une occasion éventuelle, un voyage, ou que sais-je encore ?

Elle s'avança pour l'aider à glisser son bras valide dans la manche et couvrir son autre épaule. Izzy se sentit rassurée, elle ne porterait donc pas un vêtement ayant appartenu à Julia. L'immense T-shirt dans lequel elle avait dormi était à Will, de toute évidence.

— Je vais t'aider à faire ta toilette, annonça Mme Thompson avec douceur.

— Oh non, ce n'est pas la peine, j'y arriverai ! C'est mon bras gauche qui est handicapé.

Mais une fois seule dans la salle de bains, Izzy s'aperçut que tout n'était pas si facile. Dire qu'elle s'était imaginé pouvoir rentrer chez elle à Londres dès le lendemain de son opération…

En revenant dans la chambre, elle vit que Mme Thompson avait remis en place les oreillers et la couette pour qu'elle puisse se réinstaller confortablement. Mais elle n'avait pas l'intention de se recoucher.

— Je vais t'apporter un petit déjeuner. Thé ou café ?

Izzy sourit à la mère de Will.

— Pas question de me faire servir ! Je vais descendre le préparer moi-même.

Mme Thompson ne l'entendait pas de cette oreille. Elle l'assura qu'elle avait tout le temps de s'en occuper. Izzy protesta encore un peu mais dut vite renoncer.

— Qu'est-ce qui te ferait plaisir ? Des brioches par exemple ? J'avoue qu'il n'y a pas grand-chose dans le placard de Will à part les céréales des enfants. Je vais aller chercher quelques pâtisseries à notre boutique. Elles sont faites maison !

Mme Thompson s'esquiva sans attendre sa réponse.

Izzy laissa errer son regard par la fenêtre. La vue était très belle sur la campagne alentour. Elle ne put empêcher sa mémoire de vagabonder en admirant ce coin de terroir qui était le sien autrefois. Que de souvenirs elle avait ici… Durant un bon moment, elle donna libre cours à sa nostalgie, et ce fut le retour de Mme Thompson qui vint enfin l'en délivrer.

Elle déposa près du lit un plateau rempli de choses appétissantes.

— Je t'ai apporté du miel de Provence, je me rappelle que tu en raffolais.

Cette délicatesse faillit faire monter des larmes aux yeux d'Izzy. Elle prit la tasse de thé qu'on lui tendait et y trempa les lèvres avec délice. Elle ne se souvenait pas d'avoir apprécié à ce point ce breuvage pourtant familier. Elle but d'une traite et soupira d'aise.

— Merci, madame Thompson, c'est exactement ce dont j'avais besoin !

— Très bien, mais il faut que tu manges aussi. Je t'ai tartiné de petits morceaux de brioche grillée faciles à prendre d'une seule main.

Izzy sentit son cœur fondre. La gentillesse de cette femme était vraiment exceptionnelle. Pendant qu'elle se restaurait, Mme Thompson lui raconta que Will était parti surveiller des travaux chez Mme Jenks avec les enfants, qui adoraient profiter de leurs vacances pour accompagner leur père un peu partout. Izzy se souvenait avec attendrissement de Mme Jenks.

— Elle doit être très vieille maintenant. Mais elle avait un fils, non ?

— Oh, c'est un bon à rien ! C'est Will qui s'occupe d'elle la plupart du temps. Il balaie la neige devant chez elle en hiver, il répare sa toiture quand il y a du vent, il fait même ses courses quand elle ne va pas bien. Et il ne lui demande aucun loyer pour la ferme qu'elle occupe et qui nous appartient. Et malgré ça, son fils ne cesse de dire du mal de nous au village !

Izzy se souvint brusquement des propos des deux chipies devant le café lors de sa première visite.

— Madame Thompson… est-ce que ma présence ici ne va pas faire jaser dans le coin ?

— Ne te tourmente pas pour ce genre de choses, ma chérie !

Izzy se sentit de nouveau tout émue. Personne ne l'avait plus appelée « ma chérie » depuis de longues années ! Mme Thompson prit sa tasse vide pour la resservir.

— De toute façon, je vais rentrer à Londres demain. Je ne veux pas que vous perdiez votre temps pour moi.

— Comment ? Il n'en est pas question, tu es encore bien trop faible ! Nous sommes ravis de t'avoir ici, je t'assure. Ne pense pas au qu'en-dira-t-on, songe plutôt à la guérison de ton bras !

— Mais vous venez ici chez Will uniquement pour prendre soin de moi, et…

— Pas du tout. Depuis la mort de Julia, je viens souvent m'occuper des enfants. Et ta présence me fait vraiment plaisir, crois-moi. Mais je ne veux pas non plus t'envahir ! Je te laisse te reposer et je reviendrai plus tard.

Elle disparut comme une fée et Izzy ne tarda pas à se rendormir. Un peu plus tard, elle se réveilla en bien meilleure forme et se leva pour aller s'asseoir près de la fenêtre et regarder paître les moutons. Au bout d'un moment, elle vit apparaître Will et les enfants sur le chemin. Il leva la tête vers elle et lui fit signe de la main.

C'était comme si le soleil brillait plus fort tout à coup ! Pourquoi éprouvait-elle une telle joie de le voir ? Une semaine plus tôt, elle se répétait sévèrement qu'elle n'avait pas la moindre place dans sa vie, et aujourd'hui, elle était là, dans sa maison, aussi fragile et démunie qu'une petite fille…

Sa raison lui commandait de repartir le plus tôt possible, mais elle n'avait qu'une seule envie, rester ! Ce n'était pas seulement son corps qui avait besoin de se refaire une santé. Son cœur aussi ! Et puis, elle devait se réhabituer à vivre sans tension permanente. Depuis deux ans, elle n'avait pris qu'un week-end de congé par-ci par-là. Elle devait apprendre à ne rien faire !

Oui, mais… c'était un gros risque à prendre que de goûter à ce nouveau bonheur auprès de Will. Elle avait déjà tant souffert à cause de lui ! Elle ne tenait pas à recommencer, car cette fois, ce serait trop dur.

Elle alla se recoucher en soupirant. Une minute plus tard, on frappait à sa porte.

— Izzy ? Puis-je entrer ?

— Je suis couverte jusqu'au cou, pas de problème ! répondit-elle en riant.

Will ouvrit la porte et lui sourit d'un air heureux.

— Tu as bien meilleure mine, je suis content.

— Oui, je suis en pleine forme.

Le mensonge ne lui coûtait pas beaucoup. Depuis qu'il était arrivé, elle ne sentait presque plus sa fatigue. Mais elle n'allait tout de même pas lui avouer qu'il lui avait tant manqué !

— Maman s'est occupée de toi ?

— Bien sûr ! Elle m'a préparé le meilleur petit déjeuner que j'aie dégusté depuis longtemps.

— J'espère qu'elle t'a forcée à manger.

— Elle n'a pas eu besoin. Elle se rappelait que j'adore les brioches grillées avec du miel français ! Et son thé est délicieux.

— Maman est comme ça, remarqua Will d'un air attendri.

Il vint s'asseoir au bord du lit et regarda Izzy avec insistance.

— Tu dois avoir encore mal par moments, non ?

— Un peu, mais ce n'est rien. Je contrôle la situation !

— Tu as tort. Pour une fois, tu devrais un peu oublier ton besoin de tout contrôler. Il y a des médicaments pour soulager la douleur, inutile de s'y confronter à tout prix.

— J'aime faire face, tu sais bien.

— Dans certaines circonstances, c'est dommage. D'ailleurs, on n'y arrive pas toujours. Parfois, les événements sont plus forts que nous.

Elle ne le savait que trop !

— Oui, évidemment, et c'est bien le cas. Je te rappelle que c'est moi qui t'ai appelé de l'aéroport pour te demander de l'aide. Si j'avais su que tu perdrais ton temps avec moi durant plusieurs jours…

— Tu te serais abstenue ? Tu aurais eu tort. Pour une fois, tu as eu le bon réflexe.

Il se passa la main dans les cheveux et laissa son regard errer au loin, à travers la fenêtre. Quand ses yeux revinrent se poser sur elle, ils avaient perdu leur lueur de taquinerie.

— Tu te rappelles ce que je t'avais dit : si un jour tu as besoin de moi, n'hésite pas à m'appeler. Je suis heureux que tu t'en sois souvenue.

— Oui, mais tu avais dit aussi qu'il serait préférable de ne plus nous revoir durant un certain temps.

— Oublie ces mots-là. C'était stupide. Dans la situation où tu te trouvais, n'importe quel ami aurait agi comme moi.

— Je n'étais pas dans mon état normal. Si tel avait été le cas, j'aurais pris les choses en main moi-même, j'aurais fait appeler un hélicoptère du SAMU pour être transportée dans un hôpital de Londres.

— Et comment aurais-tu fait en sortant le lendemain ? Tu ne peux même pas t'habiller seule !

— Mais ici, je n'ai pas de vêtements ! protesta-t-elle en riant.

Will se leva et sortit quelques instants de la chambre. Puis il revint avec une pile de T-shirts et un pantalon de jogging à peine trop grand pour elle.

— Je l'ai lavé à 80 degrés, il a rétréci de moitié ! expliqua-t-il d'un air enchanté.

Il tenait aussi une paire de chaussettes propres.

— Elles sont à Michael, c'est une matière extensible. Et ma mère a lavé tes sous-vêtements.

— C'est vraiment gentil, il ne fallait pas. Je vais rentrer chez moi, la femme de ménage s'en serait chargée.

— Ah oui ? Et elle devra aussi te préparer tes repas, t'ouvrir les bouteilles et les boîtes dont tu auras besoin, et tout le reste ?

Izzy resta songeuse. Elle n'imaginait que trop bien les mille gestes quotidiens qu'elle serait incapable d'accomplir avant un certain temps.

— Tu ne t'en sortiras pas toute seule, conclut Will comme s'il avait deviné ses pensées.

— J'y arriverai, je t'assure, je me ferai aider.

Il se contenta de hocher la tête avec une mine dubitative, mais elle décida de ne pas y faire attention. Elle le regarda d'un air déterminé.

— Tu dois aussi me dire combien a coûté l'ensemble des secours. Je sais que le transport en hélicoptère vaut une petite fortune et j'ai les moyens de payer, tu le sais.

Il haussa les épaules.

— Ne te fais pas de souci pour ça. Andrew se sert de notre hangar pour y mettre son hélicoptère, et en échange, il nous rend service de temps à autre.

— Mais c'est à moi qu'il a rendu service ! Et toi aussi !

— Tu es têtue ! Pour une fois que je peux jouer les bons Samaritains, laisse-moi ce plaisir !

Il y avait une telle tendresse dans son sourire qu'elle se sentit fondre.

— Tu as gagné… pour l'instant !

Elle toussota d'un air gêné.

— Maintenant, si cela ne t'ennuie pas, j'aimerais bien rester seule pour m'habiller… Et, euh… pourrais-je avoir mes sous-vêtements ?

Quand il revint peu après avec sa parure de dentelle griffée d'une grande marque de lingerie, elle ne put se retenir de rougir. Il tenait délicatement entre deux doigts le boxer de soie et le soutien-gorge assorti avec un léger sourire où l'humour le disputait à un soupçon de désir mal camouflé.

— Les… euh, dessous chic de madame…, dit-il en les lui tendant.

Elle s'empressa de les lui prendre.

— Merci. Maintenant, je n'ai plus besoin de rien, je ne veux pas te retenir.

— Si tu as besoin d'aide…, ajouta-t-il d'un air légèrement équivoque avant de tourner les talons.

— Je ne crois pas, merci ! répondit-elle très vite en suppliant le ciel qu'il sorte de sa chambre.

Après une toilette maladroite, elle fit l'expérience de s'habiller avec un seul bras. Pour la culotte et le pantalon, elle n'eut pas trop de problème, mais le soutien-gorge résista sournoisement, malgré ses efforts répétés. Elle finit par renoncer.

Quand elle apparut en haut de l'escalier pour descendre au rez-de-chaussée, il lui sourit avec malice.

— Je vois que tu as réussi… en partie seulement !

Elle rougit une fois encore. Le T-shirt qu'elle portait avait beau être très ample, on devinait que ses seins étaient nus sous l'étoffe. Will se leva et gravit les quelques marches pour venir à sa rencontre. En hochant la tête, il effleura sa joue du revers de sa main.

— J'avais oublié que tu étais aussi têtue ! Tu es une femme de caractère, décidément !

Hélas, ce n'était pas ce qu'Izzy ressentait à cet instant. Sa tête s'était mise à tourner et ses jambes l'abandonnaient. Heureusement, Will eut le réflexe de la prendre dans ses bras juste avant qu'elle ne s'effondre sur le sol. Il la porta jusqu'au canapé en la serrant contre lui. Le contact de son corps chaud et musclé était si sensuel qu'elle faillit gémir de plaisir… Elle tenta de se ressaisir. Etait-ce la frustration qui la rendait aussi vulnérable ? Elle se redressa avec ce qui lui restait de dignité.

— Excuse-moi. Tout va bien, maintenant. Si tu as autre chose à faire, vas-y, ne t'inquiète pas.

— Les enfants sont partis déjeuner au Vieux Chariot. Veux-tu que nous allions les rejoindre ou préfères-tu manger une omelette ici avec moi ?

A la seule pensée de manger des œufs, elle avait presque la nausée, mais elle ne voulait pas manquer cette occasion de rester seule avec lui.

— Je n'ai pas très faim, tu sais. Une feuille de salade me suffira.

— Repose-toi, je vais tout préparer, dit-il avec un sourire ravi.

Il souhaitait apparemment la même chose qu'elle. En y songeant, Izzy se sentit soudain remplie de joie mais aussi d'inquiétude. Dans quel piège était-elle en train de tomber ?

7.

Mais les craintes d'Izzy furent bientôt apaisées. Après leur déjeuner en tête à tête aussi rapide que distant, elle ne revit presque pas Will. Il avait certainement beaucoup de travail mais il semblait tout de même l'éviter. Elle se résolut à passer des heures seule à lire, allongée sur le canapé avec le chat sur les genoux.

Izzy savait bien qu'elle avait besoin de se rétablir calmement, mais ces vacances imposées ne tardèrent pas à l'impatienter. Dès qu'elle eut repris quelques forces, elle préféra aller s'asseoir au Vieux Chariot avec Mme Thompson, entourée de clients et d'amis qui venaient bavarder un peu.

Pourtant, là encore Izzy se sentait mal à l'aise car elle était incapable d'aider comme elle l'aurait souhaité. Alors, elle partait de temps à autre se promener dans les champs alentour.

Elle appelait souvent Kate au téléphone pour lui donner des directives concernant son travail. Par ailleurs, elle dut retourner à l'hôpital en taxi pour subir des examens de contrôle. Mais le temps lui paraissait si long qu'à la fin de la semaine, elle ne tenait plus en place.

Un jour, la petite Rebecca s'approcha d'elle d'un air intrigué.

— Est-ce que tu as très mal au bras ?

— Non, pas trop. Pourquoi ? lui demanda-t-elle, un peu surprise.

— Parce que tu as l'air très triste. Ma maman avait l'air triste aussi quand elle avait mal.

Une bouffée de compassion envahit le cœur d'Izzy.

— Je vais bien, rassure-toi, c'est juste que je m'ennuie un petit peu.

Au même moment, Will entra dans la pièce. Rebecca se précipita vers lui.

— Papa ! Papa ! Izzy s'ennuie, comme moi les jours où il pleut ! Tu devrais l'emmener avec toi !

Izzy aurait voulu rentrer sous terre tant elle se sentait gênée.

— C'est seulement que je n'ai pas l'habitude de ne rien faire…, marmonna-t-elle pour s'excuser.

Elle esquissa un sourire.

— Je crois que je ferais mieux de retourner chez moi à Londres.

— Pour quelle raison ? demanda sèchement Will en fronçant les sourcils.

— On a besoin de moi au bureau.

— Avec le bras droit dans le plâtre, tu ne seras pas plus utile qu'en dictant tes ordres par téléphone. Et tu as encore très mauvaise mine, ce ne serait pas raisonnable. Est-ce que tu arrives à dormir ?

— Pas très bien. Je suis déjà réveillée à six heures quand tu te lèves et je ne peux plus retrouver le sommeil.

— Alors, tu devrais descendre prendre une tasse de thé avec moi. Et puis dans la journée, si tu t'ennuies trop, viens me rejoindre à la bergerie. Tu verras, il y a eu de nombreuses naissances depuis quelques jours.

C'est ce qu'elle décida de faire le lendemain. Dès l'aube, elle suivit Will dans ses diverses activités auprès des animaux. Un peu plus tard dans l'après-midi, elle le rejoignit alors qu'il surveillait les travaux des champs. La journée lui parut bien plus courte, mais elle put mesurer quelle fatigue représentaient pour lui toutes ces charges souvent pénibles. En début de soirée, elle rentra dîner après la traite des vaches, alors que Will restait encore pour nettoyer l'étable. Il ne terminerait sa journée qu'à 23 heures environ, et il devait encore faire les comptes, l'occupation qu'il détestait le plus.

Izzy se retirait toujours dans sa chambre avant le retour de Will. Vers 22 heures, son bras commençait à la faire beaucoup souffrir, c'était le moment de prendre les analgésiques les plus puissants pour la nuit. Elle ne tenait pas à lui infliger le spectacle de sa fatigue car il était bien plus épuisé qu'elle. Parfois, elle se demandait comment il faisait pour tenir. Sans doute grâce à une volonté et un sens du devoir exceptionnels.

Le lendemain matin, elle se leva encore très tôt. Will était déjà en train de préparer le thé dans la cuisine. Il se retourna en entendant son pas dans l'escalier.

— Je vais aller m'occuper des brebis. Tu viens avec moi comme hier ?

Izzy secoua la tête.

— Non, je ne veux pas t'ennuyer tous les jours ! D'ailleurs, j'ai décidé de partir à Londres…

Will la regarda d'un air scandalisé.

— Pourquoi ? Tu n'es pas bien ici ?

— Si, mais il faut que je retourne au bureau pour signer des papiers urgents. Je vais appeler un taxi.

— Ne sois pas stupide. Si vraiment tu dois te rendre à Londres pour une journée, je t'accompagnerai. Et tu reviendras ici ensuite.

— Mais… de toute façon, tu n'as pas le temps, Will !

— Tim est libre en ce moment, il pourra venir me donner un coup de main. Mon père surveillera tout. Mais attends encore deux jours.

— Mercredi ?

— Voilà, ce sera parfait. Et aujourd'hui, tu viens t'occuper des brebis avec moi, d'accord ?

Elle enfila sans protester les bottes de caoutchouc qu'il lui avait déjà prêtées la veille en lui précisant qu'elles étaient à sa mère. Et elle lui emboîta le pas jusqu'à la bergerie, le cœur soudain plus léger.

Un peu plus tard, Izzy le suivit à la prairie voisine où il entreprit de parquer le troupeau avec l'aide de son fidèle chien Banjo qui courait autour des brebis en aboyant de bon cœur.

— Ce brave toutou n'est pas seulement beau mais intelligent ! s'exclama-t-elle en lui caressant le museau.

— Il est encore un peu fou parce qu'il est jeune, mais il fera un bon gardien, admit Will.

Elle continua à observer le manège du chien en s'efforçant de ne pas trop regarder Will, dont les magnifiques muscles saillaient sous son T-shirt. La veille déjà, elle avait eu beaucoup de mal à éviter de penser à ce spectacle troublant. Chaque fois, elle était saisie d'une terrible envie de toucher ses bras bronzés et de se serrer contre lui. Mais elle voulait à tout prix éviter cette tentation et restait toujours à une bonne distance de lui.

Le lendemain matin, pourtant, elle ne put faire en sorte de tenir sa résolution. Alors qu'elle avait réussi à se laver les cheveux sans devoir appeler Mme Thompson à l'aide, il la surprit en train de les démêler avec le plus grand mal devant le miroir de la cuisine.

— Attends, je vais t'aider, dit-il en prenant le peigne qu'elle manipulait maladroitement de la main gauche.

— Non, ce n'est pas la peine…

Sans l'écouter, il se mit à lisser sa longue chevelure avec la plus grande douceur en s'efforçant de ne pas trop tirer sur les mèches rebelles. A le sentir si près, Izzy ne put s'empêcher de tressaillir. Il se penchait contre son visage pour arranger ses boucles avec soin et la chaleur de son souffle venait lui caresser les joues. Enfin, il se recula pour admirer l'effet de son travail.

— Veux-tu les laisser libres ou les attacher ?

— Je ne sais pas, murmura-t-elle, hésitante.

Il passa les doigts le long de ses tempes pour relever quelques mèches.

— Comme ça ?

— Oui, oui, très bien.

Elle n'avait qu'une pensée, en finir au plus vite, avant de succomber et de se laisser aller entre ses bras ! Mais Will ne semblait pas aussi pressé.

Il ne cessait de plonger les mains dans son épaisse chevelure avec un plaisir sensuel évident. Peut-être parce que c'était la seule partie du corps d'Izzy qu'il avait le droit de toucher ? Elle ignorait qu'il en rêvait depuis longtemps. Non seulement depuis qu'elle était hébergée chez lui mais depuis qu'il l'avait revue, quelques semaines plus tôt, et même — devait-il se l'avouer ?— depuis de longues années !

— Aïe !

Izzy n'aurait su dire si elle avait poussé ce léger cri parce qu'il avait tiré un peu trop fort sur une mèche ou à cause de ce contact prolongé qui la mettait dans un état de trouble indescriptible.

— Oh, pardon ! dit-il en levant le peigne.

Il reprit son manège avec encore plus de douceur.

— Je crois que c'est bien comme ça, déclara Izzy avec le plus de fermeté possible.

Will baissa les bras en réprimant un soupir.

— Bon, il faut que j'aille finir mes comptes, dit-il un peu trop vite.

Puis il se hâta de sortir sans autre commentaire, laissant Izzy déconcertée, se demandant pourquoi il avait l'air fâché tout à coup. Elle ignorait qu'un autre genre de sentiment venait de s'emparer de lui…

Elle resta quelques instants immobile à fixer la porte par laquelle il avait disparu. Il lui avait rendu service en lui peignant les cheveux, et puis voilà. Il n'avait pas de temps à perdre en sa compagnie. Ce n'était pas étonnant.

Pourtant, il lui avait proposé de la raccompagner à Londres le surlendemain. Elle était un peu inquiète à l'idée de se retrouver seule avec lui durant tout le voyage s'ils devaient parler aussi peu que d'habitude ! Il aurait peut-être mieux valu qu'elle appelle un taxi.

Le mercredi matin pourtant, tout se passa bien mieux qu'elle ne le craignait. Le trajet jusqu'à Londres parut à Izzy plus rapide que prévu. Elle décida de se rendre chez elle d'abord pour prendre des vêtements et quelques affaires personnelles. En arrivant dans son immeuble, elle dit un mot au gardien pour que Will puisse se garer au sous-sol et de là, ils prirent l'ascenseur directement jusqu'à son étage. En entrant dans son appartement, elle poussa un profond soupir. C'était bon tout de même de retrouver son intimité, ses fleurs, ses livres, ses objets familiers.

Et pourtant, elle éprouvait comme un léger malaise, qu'elle ne parvenait pas vraiment à définir. Etait-ce l'ordre un peu trop impersonnel de son appartement qui lui apparaissait tout à coup ? Elle n'allait tout de même pas regretter le spectacle des jouets et des cahiers jonchant le sol, les vêtements souvent pendus n'importe où, l'odeur de chien mouillé qui envahissait l'intérieur de la ferme certains jours de pluie ?

Elle ouvrit en grand les baies vitrées de la terrasse. Will alla s'accouder à la balustrade et sans un mot laissa errer son regard à l'horizon. Encore une fois, il avait l'air sombre, mais Izzy ne trouvait plus la force de se demander pourquoi. Il était trop compliqué et le plus souvent, elle était incapable de le comprendre. Etait-il déjà aussi secret autrefois, lorsqu'ils étaient amoureux l'un de l'autre ? Il lui semblait que non. Sans doute était-ce la maladie et la mort de Julia qui l'avaient rendu aussi étrange.

— Je vais à la salle de bains pour me rafraîchir un peu, dit-elle pour trouver un prétexte à s'isoler quelques instants.

— Je vais t'aider, dit-il sans hésitation.

— Non, je peux y arriver seule maintenant ! Du moins, je crois.

— Appelle-moi si tu as besoin de quelque chose.

— Oui, oui, bien sûr.

Elle disparut pour aller s'enfermer d'abord dans sa chambre. En ouvrant le placard qui contenait sa garde-robe, elle soupira. La vue des vêtements chic qu'elle portait au bureau la déprimait tout à coup au plus haut point. Elle eut soudain envie d'enfiler sa tenue de gymnastique, un caleçon noir brillant et un body sans manches qui moulait le buste ! C'était certes plus seyant que les T-shirts et le pantalon de jogging que lui avait prêtés Will !

Mais en les plaquant contre elle devant le miroir, elle se ravisa et remplaça le caleçon par un pantalon de lin qu'elle jeta sur le lit. Puis en ouvrant le tiroir de sa commode, elle resta interdite devant le bouillonnement de dentelle de ses dessous sexy. Il lui suffisait de porter ces quelques grammes de soie, de satin ou de voile transparent incroyablement doux au toucher, pour se sentir une autre femme !

Elle se déshabilla avec beaucoup de mal pour aller prendre un bain, car elle n'avait pas encore retrouvé l'usage complet de son bras droit. Après s'être prélassée dans la mousse et s'être séchée avec un drap de bain moelleux, elle se passa sur tout le corps son lait hydratant favori dont elle respirait avec délice le parfum familier. C'étaient tous ces petits plaisirs quotidiens le plus souvent presque inconscients qu'elle était heureuse de pouvoir s'offrir de nouveau. Ils lui avaient tout de même manqué à la ferme, dont le confort était un peu sommaire.

Elle était sur le point de s'habiller quand elle entendit un petit coup frappé à sa porte.

— Une minute ! cria-t-elle en saisissant la serviette encore humide pour l'enrouler autour de son corps.

La porte s'ouvrit et Will resta figé sur le seuil.

— Oh, pardon ! Excuse-moi ! dit-il sans pour autant battre en retraite.

Curieusement, son regard ne se portait pas directement sur elle mais sur le miroir… Elle tourna la tête et s'aperçut avec horreur qu'une bonne partie de sa chute de reins n'était pas couverte ! Elle s'enveloppa très vite en rougissant.

— C'est… c'est moi qui m'excuse…, bredouilla-t-elle.

Il fit demi-tour sans autre commentaire, sortit et referma la porte. Izzy en profita pour enfiler ses vêtements en toute hâte, mais elle s'aperçut que les gestes les plus simples lui posaient toujours autant de difficulté. Elle était incapable, par exemple, de remonter une fermeture Eclair avec une seule main. Que faire ? Elle se résolut à rejoindre Will pour lui demander de l'aide.

— Je… je n'arrive pas à fermer mon pantalon…

— Eh bien… je vais t'aider, Izzy.

Will s'approcha d'un air un peu gauche. Les yeux fixés sur l'échancrure du tissu qui laissait apparaître un triangle de peau à peine couvert par un voile de soie, il avança les mains en hésitant. Izzy constata avec un léger malaise que ses doigts tremblaient. Il réussit pourtant à accomplir ce qu'on lui demandait, et même avec une douceur inattendue.

— Merci, murmura-t-elle en reprenant très vite ses distances.

— As-tu besoin d'autre chose ? demanda-t-il en toussotant.

— Eh bien… oui. Je n'ai pas pu attraper mon sac de voyage qui se trouve en haut du placard.

— Pas de problème.

Ils retournèrent ensemble dans la chambre d'Izzy, chacun s'efforçant de masquer son trouble sous un air tranquille. Elle lui désigna l'étagère supérieure.

— C'est ce gros sac de cuir fauve, tu vois ?

Will n'eut qu'à lever le bras pour saisir l'objet en question. Mais au lieu de le lui donner tout de suite, il le garda un instant entre ses mains comme s'il éprouvait un certain plaisir à le toucher. Izzy se souvint de sa prédilection pour les matières qui éveillaient son sens tactile très développé. Elle n'aurait pas cru que ses mains devenues calleuses avec le travail de la ferme soient encore aussi sensibles…

— As-tu l'intention de partir en week-end ? demanda-t-il en posant le sac sur le lit.

— Oui, enfin, peut-être même un peu plus longtemps.

Il ne put lui cacher sa surprise, mais se ressaisit aussitôt.

— Veux-tu que je t'aide à faire ta valise ?

Elle hésita un instant. Evidemment, elle aurait beaucoup de mal à plier seule ses affaires…

— Ce serait gentil, oui.

— Dis-moi ce que je dois mettre dedans.

— Eh bien… nous allons commencer par la lingerie. C'est ce que je place au fond en général.

Elle lui désigna le tiroir de la commode. Il l'ouvrit et plongea ses mains dedans pour en retirer le paquet de dentelle qu'il jeta très vite dans le sac comme s'il s'était agi d'un objet brûlant. Izzy dut se retenir de rire et se hâta de lui montrer quels vêtements elle désirait emporter.

— C'est tout ? dit-il après les avoir pliés avec soin et déposés dans le sac.

— Il y a aussi ma trousse de toilette. Je pourrai la remplir seule mais elle se trouve un peu trop haut. Si tu peux me la passer…

Il la suivit à la salle de bains et lui tendit la trousse, où elle fourra en quelques minutes ses flacons et ses pots de crème. Puis elle se tourna vers lui d'un air satisfait.

— C'est parfait, allons-y.

— Où allons-nous ?

— Peux-tu me déposer à mon bureau, s'il te plaît ? Si tu as le temps, bien sûr.

— J'ai prévu de prendre ma matinée, tu le sais bien.

Elle saisit son sac de voyage et se dirigea vers la porte d'entrée.

— Veux-tu boire quelque chose avant de partir ?

— Non, merci. Il est déjà presque midi.

Izzy se repentit brusquement de l'avoir obligé à lui servir de chauffeur.

— Tu ferais peut-être mieux de reprendre la route. On perd parfois une demi-heure ou plus à se garer près de mon bureau. Je reviendrai en taxi.

— Ne t'inquiète pas, ça ira.

Mais Will commença hélas par se perdre dans Londres et quand, une fois arrivés, ils durent chercher une place de stationnement, il était visiblement très irrité. Izzy regretta de ne pas avoir appelé un taxi, même s'il lui jurait que ce retard n'avait aucune importance. Elle décida de parler au gardien du parking pour qu'il l'autorise à y entrer bien qu'il ne possède pas la carte de résident.

Quand ce fut fait, ils montèrent directement à l'étage de la société que dirigeait Izzy. Elle s'arrêta devant la porte.

— Je peux te libérer maintenant, Will, dit-elle en le remerciant encore.

— Non, je préfère t'attendre, je te le répète. Je vais aller m'asseoir dans ce salon d'attente.

Izzy n'osa pas protester et se dirigea seule vers le bureau de son assistante. Kate l'accueillit avec joie. Tout en lui présentant les papiers sur lesquels Izzy devait apposer sa signature, elle l'observait d'un œil curieux.

— Comment vas-tu, Izzy ? As-tu toujours mal au bras ? Je me suis fait un sang d'encre en pensant à toi !

— Oh, ça va mieux mais j'ai encore quelques douleurs, surtout la nuit. J'ai du mal à dormir.

Kate la regarda d'un air malicieux.

— Es-tu sûre que c'est à cause de ton bras ?

— Que veux-tu dire ?

— Ce ne serait pas plutôt à cause de… de *lui* ?

— Tu es folle ! Will s'est comporté avec moi en véritable ami. D'ailleurs, je crois qu'il est un peu esclave de sa nature généreuse. Il passe son temps à me rendre service. Dépêchons-nous, je ne veux pas abuser de sa bienveillance.

Elle demanda ensuite à Kate de la mettre au courant des dernières nouvelles. Bien qu'elles aient été en contact téléphonique permanent, Izzy avait pas mal de choses à vérifier sur place. Après avoir consulté tous les dossiers en cours, elle se tourna vers Kate d'un air mystérieux.

— J'ai une bonne nouvelle pour toi et les autres employés.

Kate ouvrit des yeux incrédules.

— Ah bon ?

— J'ai décidé d'accorder à tout le monde un congé de trois semaines. Je ferme la boîte !

Kate faillit tomber à la renverse.

— Quoi ?

— Oui, nous pourrons régler les cas urgents par téléphone. Le reste attendra. Nous laisserons Ally pour surveiller les locaux.

Kate se passa la main sur le front d'un air atterré.

— Mais Izzy…

— Ttt ! Ttt ! Depuis combien d'années n'avons-nous pas fermé pour les vacances ?

— Trois ans, répondit Kate en hochant la tête.

— C'est ridicule, tu ne crois pas ?

Ce que Kate avait beaucoup de mal à croire, c'était qu'Izzy ait pu changer à ce point en quelques semaines ! Elle leva sur elle un regard qui hésitait encore entre enthousiasme et inquiétude.

— Si tu penses que c'est possible, Izzy…

— Je prends cette remarque pour un acquiescement, trancha Izzy.

Brusquement, Kate lui sauta au cou.

— Un acquiescement ? Oh oui, Izzy ! Oui, oui, oui ! Tu sais quoi ? Je vais enfin pouvoir aller rendre visite à ma mère en Australie ! C'est formidable !

— Aïe !

— Oh, pardon, j'avais oublié ton bras ! Je ne t'ai pas fait trop mal ?

— Non, ça va !

Elles se mirent à rire ensemble de bon cœur. En ouvrant la porte, Kate aperçut Will dans le salon d'attente.

— Tu es sûre que tout va bien se passer pour toi ? Il a l'air un peu bizarre.

— Il est un peu nerveux, je crois qu'il pense à tout le travail qui l'attend à la ferme.

— Tu vas retourner là bas ?

— Pas longtemps. Tu sais, je n'ai pas envie de l'envahir.

— Que vas-tu faire alors ? Tu ne peux pas rester seule.

— Quand on m'aura retiré ce plâtre, je vais partir sous les tropiques ! J'ai besoin de soleil, j'ai envie de siroter des cocktails bleus sous les palmiers en oubliant tout le reste ! Et qui sait ? Peut-être que je vais enfin rencontrer l'homme de ma vie !

Elle ponctua sa remarque d'un éclat de rire un peu forcé et fut surprise de constater que Kate ne l'imitait pas, pour une fois, et qu'elle regardait même derrière elle. En se retournant, elle sursauta. Will s'était approché en silence et se tenait à deux pas de la porte. Il avait certainement tout entendu.

— Je ne veux pas te presser, mais…, dit-il d'un air peu aimable.

Izzy resta un instant bouche bée.

— Excuse-moi, Will… j'arrive !

Il tourna les talons sans autre commentaire et partit l'attendre devant la porte de l'ascenseur. Elle fit une grimace à Kate.

— Aïe ! Quelle idiote ! Il faut toujours que je parle à tort et à travers !

— Ce n'est pas si grave, dit Kate en l'embrassant.

— Oh, et puis tant pis ! S'il te plaît, occupe-toi d'avertir le personnel de la fermeture du bureau. Dis-leur que nous rouvrirons début juin. Et puis n'oublie pas de changer le message du répondeur !

Elle s'en allait à grands pas rejoindre Will quand elle se retourna encore une fois.

— Pour les urgences, appelle-moi sur mon portable, je ne sais pas encore où je serai. Et... merci pour tout ! Passe de bonnes vacances !

Sur un petit signe de la main, elle se hâta vers l'ascenseur. Will appuya sur le bouton sans la regarder.

— Dépêchons-nous, marmonna-t-il.

Son changement d'humeur indiquait clairement qu'il était très irrité. Mais était-ce simplement parce qu'elle avait pris son temps sans se soucier de lui, ou parce qu'il avait entendu ses propos désinvoltes concernant une éventuelle rencontre ?

Elle faillit le lui demander, mais elle sentait que toute question à ce sujet serait mal venue. Dans ce genre de situation, il valait mieux ne pas tenter de s'expliquer car on risquait d'envenimer encore les choses. La seule réaction sensée était de ne plus y songer. Mais que c'était difficile !

8

Durant les quelques secondes qu'ils passèrent dans l'ascenseur, Will n'adressa pas la parole à Izzy. Ils rejoignirent sa voiture et il lui ouvrit la portière sans lui parler. A la sortie du parking, elle se décida à rompre le silence.

— Je suis désolée, mais je dois retourner à mon appartement : je viens de m'apercevoir que j'ai oublié le chargeur de mon téléphone portable…

Izzy crut l'entendre soupirer discrètement mais elle n'en était pas sûre. En tout cas, il n'avait pas l'air très à l'aise. Elle éprouva une bouffée de compassion en songeant qu'il se sentait peut-être malheureux. Mais pourquoi le prendre en pitié ? Elle ne pouvait rien pour lui, et bientôt, elle serait si loin qu'elle n'y penserait plus.

Elle se mit à concocter son programme dans sa tête. Evidemment, elle ne pouvait pas s'envoler vers un paradis tropical avant samedi. Il lui fallait prendre des dispositions, et puis elle avait encore une visite de contrôle vendredi à l'hôpital. Ensuite, elle disparaîtrait de la vie de Will, sans doute pour toujours.

Ce dernier restait obstinément muet. Elle se tourna vers lui d'un air aimable.

— Est-ce que tu as pris le temps de manger ou de boire quelque chose en m'attendant, au moins ?

Elle espérait qu'il répondrait non et qu'elle pourrait lui proposer de prendre une collation au bas de son immeuble.

— Oui, ne t'inquiète pas.

C'était une réponse un peu laconique, mais Izzy n'osa pas insister. Ils arrivèrent bientôt chez elle et elle le laissa s'asseoir dans le salon pendant qu'elle allait chercher son chargeur dans la chambre. Il était resté sur une prise située sous son lit, qu'elle avait déjà du mal à atteindre d'habitude avec le bras droit. Elle essaya de l'attraper avec le gauche en s'allongeant sur le lit mais il lui manquait un ou deux centimètres pour y parvenir. Quant à déplacer le lit, elle en était incapable aussi avec son handicap.

Elle réfléchit un instant. Allait-elle encore une fois demander de l'aide à Will ? Elle s'y résolut en soupirant et revint dans le salon. Elle le vit sur la terrasse, accoudé à la balustrade d'un air songeur.

— Will ?

Il tourna la tête et l'espace d'une seconde, elle crut lire dans ses yeux une profonde tristesse, mais il changea très vite d'expression.

— Je... je n'arrive pas à atteindre la prise où mon chargeur est branché, bredouilla-t-elle.

Un bref instant, elle vit passer dans son regard comme un sentiment de crainte. Redoutait-il de se trouver de nouveau seul avec elle dans sa chambre ? Pourtant, chez lui, ils avaient souvent connu la même situation. Tout cela était vraiment trop compliqué.

Il la suivit sans autre commentaire. Quelques secondes plus tard, il lui tendait le chargeur qu'il avait débranché sans difficulté, mais il ne lui accorda pas un regard.

— Puis-je faire autre chose pour te rendre service ? demanda-t-il d'un air un peu bougon.

110

— Non, merci. Je n'aurais pas dû te retarder en te demandant de m'accompagner ici. Je voulais prendre un taxi, c'est toi qui as insisté…

— J'ai eu tort, dit-il sèchement.

Jamais il ne lui avait parlé sur ce ton. Izzy eut la sensation d'avoir reçu une gifle. Mais elle respira un grand coup et lui fit face, les mains sur les hanches.

— Ai-je fait quelque chose de particulier pour que tu me haïsses à ce point ?

Il posa sur elle des yeux stupéfaits.

— Pourquoi dis-tu que je te hais ?

Elle eut un rire nerveux.

— Tu ne m'adresses plus la parole ! Tu ne me regardes plus ! J'ai l'impression d'avoir commis un crime !

— Je ne t'aurais pas hébergée chez moi si je te haïssais.

— Oh, je regrette d'avoir accepté, crois-moi ! Mais ne t'inquiète pas, je vais bientôt disparaître de ta vie !

— Bien sûr ! Et tu iras vivre sous les tropiques avec l'homme de ta vie, n'est-ce pas ? Mais pourquoi un seul, d'ailleurs ? Tu en trouveras des dizaines sur la plage ! C'est ton habitude, non ?

Le sang d'Izzy ne fit qu'un tour.

— Ce que tu dis est ignoble ! Je ne te croyais pas assez stupide pour croire tous ces ragots dans les magazines !

— Qu'est-ce que je sais de toi, en réalité ? Rien ! Et tout ça me rend fou ! Comment peux-tu imaginer que je te déteste ? C'est vraiment que je cache bien mes sentiments !

Izzy faillit s'évanouir.

— Mais… je ne comprends plus…, dit-elle en s'asseyant sur le lit.

Il la regarda au fond des yeux.

— Vraiment ?

Elle voulut lui répondre mais les mots s'étranglèrent dans sa gorge. Will était là, devant elle, et tout ce qu'elle éprouvait à cet instant précis était une indicible attirance pour lui, une envie irrésistible de se jeter à son cou, de le couvrir de caresses et de mots d'amour contenus depuis trop longtemps. Douze ans, il y avait douze ans qu'elle aimait cet homme à la folie sans vouloir se l'avouer ! Elle ne put que lui tendre la main. Hélas, il ne la saisit pas.

— Izzy…, murmura-t-il faiblement.

Il secoua la tête tristement.

— Izzy, tu ne vois pas à quel point tu comptes pour moi ? J'ai tout le temps envie de te prendre dans mes bras ! Quand je dois t'aider à te coiffer, quand j'entrevois ton corps nu par inadvertance comme ce matin, quand je te sens si proche de moi ! Je vais bientôt être incapable de me contenir plus longtemps, tu sais, il vaudrait mieux que nous sortions d'ici très vite !

Izzy était sur le point de hurler de joie. Il ne la haïssait pas, non, puisqu'il la désirait ! Cette fois, ce fut lui qui tendit la main et elle s'y accrocha avec force. Il l'aida à se lever et l'attira contre lui. Elle lui tendit ses lèvres.

— Non, ne sortons pas, Will…

Il la regarda au fond des yeux.

— Je ne veux pas être pour toi une aventure parmi d'autres.

Elle se recula brusquement et faillit crier d'indignation.

— Will, je te jure que ces abjects racontars sont faux ! Je n'ai pas d'aventures ! Je… je n'ai eu que toi dans ma vie !

Il la considérait d'un air à la fois méfiant et radieux.

— Je te le jure ! répéta-t-elle d'une voix rendue rauque par l'émotion.

Il la reprit dans ses bras et la serra contre lui en soupirant.

— Izzy… mon Izzy…

Elle se laissa emporter par le vertige sans chercher à combattre. Elle l'avait retrouvé ! C'était bien Will, son amour de jeunesse ! Celui avec qui elle avait connu le bonheur pour la première et la dernière fois de sa vie ! Mais autrefois, ils étaient encore presque des gamins tous les deux. Aujourd'hui, il était un homme, et elle se sentait entre ses bras devenir femme, enfin…

Il effleura ses lèvres d'un doux baiser. Et ce fut elle qui se serra contre lui avec fougue pour lui offrir sa bouche et tout son corps en feu. Elle avait attendu douze ans ce moment de félicité et brusquement, plus rien d'autre ne comptait. Elle se donna à lui en oubliant d'un seul coup tous ses scrupules.

Will venait de se réveiller. Izzy et lui s'étaient assoupis après avoir fait l'amour. Elle était encore endormie et il se pencha sur un coude pour la regarder. Qu'elle était belle ! Il ne pouvait plus détacher les yeux de son ravissant visage, ni des courbes harmonieuses de son corps tout à la fois si fin et si sensuel.

Il soupira tristement. Il s'était cru assez fort pour résister, mais il mesurait maintenant son illusion. Dire qu'il s'était juré de ne pas retomber amoureux d'Izzy ! Aujourd'hui, il était trop tard. Durant toutes ces années, jamais il n'était parvenu vraiment à l'oublier.

Du bout de l'index, il suivit la veine bleutée qui courait à l'intérieur de son bras replié dans une position enfantine. Malgré sa grâce de petite fille dans son sommeil, Izzy était une vraie femme qui s'était donnée à lui avec passion. Mais son cœur se serra en songeant à ce que serait l'avenir. Il y avait tant de choses qu'elle ignorait sur lui, tant de choses qu'il aurait dû lui dire ! Il était grand temps de le faire. Il prit la décision de lui parler dès son réveil.

Il se pencha pour poser doucement ses lèvres sur sa gorge. Elle frémit légèrement et ouvrit les paupières.

— Il faut partir, murmura-t-il dans un souffle.

Izzy lui sourit et elle se dressa sur un coude pour l'embrasser. Il répondit à son baiser, puis s'écarta un peu et hocha la tête.

— Et je crois que… nous devrions parler, dit-il d'une voix grave.

Elle se laissa retomber sur le lit.

— Non !

— Si, Izzy. Il y a des choses que tu dois savoir… sur Julia et moi.

— Non, Will, je t'en prie ! cria-t-elle en posant un doigt sur ses lèvres pour le faire taire.

— Pourquoi ?

— C'est le passé ! Cela n'a aucune importance ! Je ne veux rien savoir, je t'en prie, accorde-moi ce droit !

Will soupira tristement. Comment pouvait-il la convaincre de l'écouter ? Aurait-il le cœur de faire disparaître la lumière qui habitait son regard depuis qu'ils s'étaient retrouvés dans les bras l'un de l'autre ? Il la prit dans ses bras et l'embrassa avec fièvre.

Ils reprirent la route ensemble, mais n'échangèrent que peu de paroles durant tout le trajet. Pourtant, ce silence ne ressemblait en rien à celui qui avait tellement angoissé Izzy dans la voiture le matin même. C'était un silence comblé et empreint de complicité.

Ils avaient vécu avec leurs corps un dialogue plus vrai qu'il n'aurait pu l'être avec des mots. Leurs mains étaient constamment entrelacées, et Will conduisait avec prudence d'un seul bras pour pouvoir caresser ses doigts tendrement.

Heureusement, à cette heure de la journée la circulation était plutôt fluide et ils n'étaient pas trop pressés. Will avait appelé ses parents pour savoir si tout allait bien à la ferme et il était rassuré. Mais en tournant la tête pour le regarder, Izzy surprit sur son front un pli soucieux.

— Will ? Tout va bien ?

— Je ne me suis jamais senti mieux ! dit-il gaiement.

— Moi non plus, avoua-t-elle en riant.

Elle serra plus fort sa main entre les siennes.

— Combien de temps faut-il encore pour arriver à la ferme ?

— Une demi-heure environ, selon le trafic. J'ai appelé mes parents pour les prévenir de notre retard pendant que tu étais dans la salle de bains.

— Cela ne leur pose pas trop de problèmes de garder Rebecca et Michael ? Ils sont chez toi, non ?

— Chez nous, oui.

Un instant, elle crut que ce nous les désignait elle et lui en tant que couple… Mais elle se dit qu'elle avait mal compris. Will parlait de ses enfants, bien entendu.

— Mais ta mère doit s'occuper aussi du restaurant.

— Ne t'inquiète pas, elle s'arrange avec la serveuse. Elle préfère surveiller le travail scolaire des gamins. Si on n'est pas sur leur dos, ils trouvent n'importe quel prétexte pour éviter de faire leurs devoirs !

— Cela ne l'ennuie pas trop ?

— Non, elle est ravie ! La seule chose dont ma mère se plaint quand elle doit rester à la maison plutôt que chez elle, c'est que je n'ai pas en réserve tous les ingrédients qu'il lui faut pour réaliser ses chères recettes !

Izzy se mit à rire.

— Ah oui ! Elle m'en a parlé ! Elle trouve que tu ne fais pas assez de provisions !

— C'est ce que disent toutes les mères, je pense, non ?

— Mais… tout à l'heure au téléphone, quel prétexte lui as-tu donné pour ton retard ?

— J'ai dit que tu avais été retenue par des obligations profes-sionnelles et que nous allions peut-être déjeuner en route pour attendre que le trafic soit moins dense.

— Cela ne t'ennuie pas de lui raconter ces petits mensonges ?

— Tu voulais sans doute que je lui raconte la vérité ?

Il avait parlé d'un air taquin en faisant allusion à leurs ébats sensuels et le souvenir en fit rougir Izzy.

— Oh non, bien sûr ! Mais… je pense que ta mère n'aurait pas été très étonnée.

— Non, sans aucun doute. D'ailleurs… justement, à ce sujet, Izzy, je pense qu'il faudrait peut-être… euh, établir certaines règles, tu ne crois pas ?

Izzy sursauta. « Certaines règles » ? Que voulait-il dire ? Poser une limite qu'elle ne devrait pas franchir, par exemple ? C'était très blessant de la part de Will d'imaginer qu'elle n'était pas assez fine pour se l'imposer elle-même ! Elle ne put se retenir de lui répondre sur un ton un peu sec :

— Attends un peu… Tu veux dire : ne pas nous embrasser sur la bouche devant les enfants peut-être ? Tu me prends pour une idiote, Will !

Il eut l'air un peu gêné.

— Je m'excuse, Izzy. Je sais que tu ne feras jamais rien qui puisse les choquer.

— Mais tu as éprouvé le besoin de me le préciser tout de même !

— Tu sais, ils ont déjà subi pas mal d'épreuves, et je ne voudrais pas que…

Elle poussa un profond soupir.

— Je m'excuse aussi. Crois-moi, je n'avais pas du tout l'intention de leur laisser deviner la nature de nos relations. Ni à eux ni à tes parents, bien sûr.

Elle eut un rire amer.

— Tu sais, je suis habituée à cacher ma vie privée ! Les médias prennent le moindre prétexte pour inventer des mensonges.

Will parut songeur. Les ragots de cette sorte parvenaient aussi au fond de sa campagne !

— C'est pour cela que je ne vais jamais dîner ailleurs que dans mon restaurant habituel, au rez-de-chaussée de mon immeuble, ou à la rigueur dans le bar à vin qui se trouve à côté de chez moi !

— Tu veux dire que des journalistes pourraient parler de nous s'ils nous rencontraient ensemble ?

— Oui, mais ne t'inquiète pas, je ferai tout pour que cela ne se produise pas !

Un long silence suivit ses paroles. Toute la joie qui avait envahi le cœur d'Izzy depuis quelques heures était brusquement retombée. Quelle naïveté avait donc pu la pousser à croire que tout recommençait entre eux ? Elle s'était laissée aller à un optimisme bien candide !

Ils avaient une aventure, et voilà tout. Will avait la gentillesse de l'héberger comme une vieille amie, et ils étaient retombés par inadvertance dans les bras l'un de l'autre ! Pourquoi chercher plus loin ? Il avait profité de la situation, comme n'importe quel homme normalement constitué l'aurait fait sans aucun doute. Will Thompson était comme tous les autres. Il n'y avait pas à faire des rêves absurdes.

De son côté pourtant, Will ne tarda pas à découvrir que les fameuses règles auxquelles il avait décidé de se soumettre avec Izzy étaient bien difficiles à appliquer ! Le matin, elle était souvent éveillée très tôt et descendait selon son habitude prendre son petit déjeuner avec lui. En croisant son regard, il croyait y lire une attirance aussi forte que la sienne. La retenue même d'Izzy la lui rendait encore plus désirable et il devait se faire violence pour ne pas enfreindre ses beaux principes. L'envie de la soulever dans ses bras pour la porter jusqu'à son lit le tenaillait si fort qu'il en éprouvait une véritable souffrance. Il se maudissait d'être si vulnérable, mais rien n'y faisait, et jour après jour, il ressentait le même trouble, de plus en plus difficile à contenir.

Toute la journée, il tentait d'oublier ses tourments dans un travail forcené, mais dès qu'il s'arrêtait, ses pensées revenaient immédiatement à Izzy. Alors, il décida de travailler encore plus. En dehors des obligations quotidiennes de la ferme, il se surprit à entreprendre des tâches qu'il remettait depuis des années, comme de nettoyer une vieille grange qui n'était pas encore rénovée, construire un nouveau poulailler, remplacer les tuiles vétustes de la bergerie. Bientôt, il fut totalement épuisé.

Un soir, Izzy entra dans le bureau où il était en train de terminer ses comptes. Elle devait partir bientôt et jusque-là, ils s'étaient efforcés tous deux de n'échanger que des propos sans risques. Mais elle paraissait tout à coup décidée à changer de tactique.

Elle vint carrément s'asseoir sur le bord de la table en le regardant au fond des yeux. Elle portait un jean et un T-shirt assez ample, ce qui ne laissait pas présager une arrière-pensée de séduction.

— Il faut que nous parlions, Will, dit-elle simplement.

Il posa son stylo et leva sur elle un regard intense.

— Non, Izzy.

Elle parut désarçonnée et marqua un temps d'arrêt.

— Pourquoi ?

Il lui prit la main d'un air fiévreux.

— Ce n'est pas de parler que nous avons besoin.

Il posa furtivement ses lèvres au bout de ses doigts.

— C'est de faire l'amour.

En prononçant ces mots, il avait l'air presque désespéré, et elle aurait peut-être eu envie de rire à lui voir une mine aussi dramatique si elle-même n'avait ressenti une réelle douleur à le sentir si proche et si loin à la fois. Elle eut un pâle sourire.

— Oui, tu as raison. Mais où et quand ? Ici, à cause de tes enfants, c'est impossible... Et puis, nous nous croisons à peine dix minutes le matin et ensuite tu disparais pendant plus de douze heures d'affilée !

— Je sais..., reconnut-il tristement.

— Je passe plus de temps que toi avec Rebecca et Michael. Ils s'en plaignent, ils ne comprennent pas pourquoi tu travailles autant tout à coup.

Will secoua la tête d'un air malheureux et se passa la main sur le front comme s'il ressentait une brusque culpabilité.

— Izzy... je suis désolé. Je ne sais plus où j'en suis... Tu... tu me rends fou !

La jeune femme se pencha brusquement pour poser ses lèvres sur les siennes.

— Will, as-tu prévu quelque chose de précis pour demain en dehors de tes tâches habituelles ?

— Euh... non, je ne sais pas... que veux-tu dire ?

Tout à coup, elle semblait si décidée qu'il se sentit légèrement inquiet.

— J'aimerais que tu me réserves une partie de ta journée.

— Tu crois ?

— J'irai m'occuper des agneaux avec toi, et ensuite... nous pourrions aller pique-niquer au bord de la rivière ! Il faudra penser à emporter une couverture pour nous allonger sous les arbres.

Il haussa les épaules en riant.

— Et faire l'amour en pleine campagne ? Tu es folle !

Izzy hocha la tête. La brusque hilarité de Will cachait quelque chose ! Au fond de ses prunelles bleues dansait une petite lueur qui laissait deviner ses pensées secrètes. L'image qu'il venait d'évoquer ne faisait pas que l'amuser ! Songeait-il comme elle à ce fameux saule sous lequel ils s'étaient embrassés la toute première fois, douze ans plus tôt ?

— Izzy, tu sais bien que c'est trop risqué ! conclut-il finalement avec un soupir qui en disait long.

Elle sourit avec malice.

— Nous pouvons très bien passer notre temps à manger, nous reposer, parler… Nous ne sommes pas obligés de…

Will cessa de rire et la regarda bien en face.

— Si. J'ai trop envie de toi, Izzy. Chaque fois que je te vois, je meurs d'envie de te serrer dans mes bras.

— Alors, fais-le !

— Ici ? C'est impossible… les enfants pourraient nous entendre.

Il se sentait soudain très mal à l'aise en songeant à Rebecca et Michael qui dormaient juste au-dessus. Ce serait fou de leur laisser deviner quel genre de relation il avait avec Izzy alors qu'il ne s'agissait que d'une aventure passagère. S'ils découvraient la place qu'elle occupait dans son cœur, comment leur expliquer qu'elle devait repartir à Londres et non s'installer à la ferme avec eux ? Ils ne comprendraient pas.

— Oui, un pique-nique… c'est peut-être une bonne idée, dit-il en revenant à la suggestion d'Izzy.

Elle hocha la tête d'un air ravi.

— Nous pourrions nous occuper des moutons, et ensuite aller chercher quelques sandwichs au restaurant avant de partir, non ?

— Excellente idée !

Il lui prit la taille en riant.

— Pour le moment, je crois qu'il vaudrait mieux songer à dormir, sinon, nous devrons passer l'après-midi à faire la sieste sous le saule demain !

— Tu crois vraiment ?

— Euh, peut-être pas, mais… je préfère que tu ne laisses pas ton ravissant postérieur posé trop longtemps sur mes factures !

Izzy se leva en souriant et jeta un coup d'œil sur les piles de papiers qui jonchaient la table.

— C'est incroyable, tu dois vraiment t'occuper de tout ça ?

— J'ai presque fini. Mais ça me prend un temps fou parce que je ne suis pas très doué pour la gestion !

— C'est ma spécialité. Est-ce que je peux t'aider ? As-tu un fichier informatique correspondant à ces documents ?

— Non ! Crois-tu que ce serait utile ?

— Je vais y jeter un coup d'œil et je te le dirai. Je m'en occuperai demain, si tu veux.

— Je te remercie, c'est vraiment un grand service que tu me rends là. Avant, c'était maman qui se chargeait des questions financières, mais elle n'a plus le temps. Elle a suffisamment de travail avec les comptes de la boutique et du restaurant.

— Ne me remercie pas, c'est un plaisir. A présent, tu devrais aller te coucher, tu as l'air épuisé.

Il lui lança un clin d'œil complice.

— Me coucher… tout seul ?

— Pour ce soir, oui, tu as besoin de dormir ! dit-elle d'un ton ferme que trahissait sa voix légèrement voilée.

Elle se dirigea lentement vers la porte, comme à regret.

— A demain, Will. Bonne nuit.

Il se leva très vite et la prit dans ses bras.

— Izzy…

Comme s'il cherchait encore un prétexte pour la retenir, il lui caressa le bras avec douceur.

— Est-ce que tu as encore mal ? J'ai oublié de te le demander…

— Oh, un tout petit peu, ce n'est rien.

Le regard de Will cherchait le sien avec une insistance sans équivoque. N'y tenant plus, il l'attira contre lui et posa ses lèvres sur les siennes. Izzy ne chercha pas à résister à son étreinte et lui rendit son baiser dans un élan passionné. Les mains de Will descendirent lentement le long de son dos pour venir prendre possession de ses reins qui se ployèrent sous sa caresse. Mais soudain, il s'écarta en poussant comme une sourde plainte.

— Pars vite ! A demain, Izzy…

— A demain, Will…, répondit-elle dans un souffle.

Elle avait un regard si sensuel qu'il faillit la reprendre dans ses bras, mais heureusement, elle ouvrit la porte et disparut.

Avec la sensation d'être un peu ivre, Will revint s'asseoir à son bureau. Un feu étrange s'était brusquement emparé de tout son corps et son esprit vacillait dangereusement. Quel pouvoir avait donc sur lui cette femme ? Il repoussa ses factures d'un geste las. Il était incapable de se concentrer.

Il descendit dans la cuisine, prit son blouson et sortit, suivi de son fidèle Banjo. L'air frais lui rendit un peu de lucidité. Il décida d'aller voir si tout allait bien à la bergerie. C'était une activité bien utile, sinon pour les moutons, du moins pour lui. A l'idée d'aller rejoindre son lit seul en écoutant craquer celui d'Izzy juste au-dessus de sa tête, il se sentait comme un fou.

— Elle a dit « demain » ! confia-t-il joyeusement à son chien qui le regardait d'un air intrigué.

Il lui flatta le col en riant.

— Tu ne connais pas ce genre de souci, toi, mon bon Banjo !

En sortant de la bergerie, il reprit le chemin de la maison en espérant trouver assez de force de volonté pour ne pas monter la rejoindre !

122

9.

Izzy n'en revenait pas de sa surprise.

Will avait dit oui ! Il avait accepté sans hésitation d'aller pique-niquer avec elle ! Depuis qu'ils étaient revenus de Londres, il avait tout fait pour l'éviter et elle commençait à se demander s'il se reprochait d'avoir fait l'amour avec elle. En réalité, en parlant avec lui enfin, elle avait découvert qu'il regrettait seulement de ne pouvoir recommencer !

Durant la semaine, elle avait cherché à s'occuper en allant aider Mme Thompson au Vieux Chariot ou en se promenant dans la campagne. Un jour, Emma était venue la voir et elles avaient déjeuné ensemble. Elles avaient beaucoup bavardé et Izzy s'était rendu compte à quel point la vie de son amie dans la région était différente de la sienne à Londres.

— Je ne pourrais jamais exercer la même profession que toi, tu as bien trop de soucis ! lui avait confié Emma.

— Et moi, je serais incapable d'élever trois enfants comme toi ! avait répondu sincèrement Izzy.

Emma avait haussé les épaules.

— Mais si, tu verras, tu seras mère un jour ! Au fait, comment ça se passe entre Will et toi ?

Izzy fut un peu saisie par ce raccourci.

— Oh, il est très gentil. A vrai dire, je le vois peu, il a beaucoup à faire toute la journée. Et le soir, il travaille encore à son bureau.

— Il a toujours l'air exténué, en effet. C'est bizarre qu'il ne se fasse pas aider, non ?

Izzy faillit lui répondre qu'à son avis, il s'étourdissait volontairement à la tâche, mais comment expliquer à Emma les raisons de ce comportement qu'elle ne comprenait pas elle-même ?

Le lendemain matin, elle se prépara très vite et fila au Vieux Chariot pour prendre tout ce qui était nécessaire à leur pique-nique.

— Un pique-nique ? Quelle bonne idée, cela va détendre un peu ce pauvre Will ! s'exclama Mme Thompson en apprenant leur projet pour la journée.

La mère de Will s'empressa d'emballer tout ce qu'elle avait sous la main, ou presque. Une tarte salée aux légumes et au bacon, du fromage, et quelques sandwichs pour le cas où ils auraient encore faim !

— Quel dessert te ferait envie, Izzy ?

— Je ne sais pas, choisissez vous-même ! répondit Izzy d'un air gourmand.

Mme Thompson ne cessait de remplir le grand sac en papier qui fut bientôt plein de victuailles. Pour finir, elle ajouta une bouteille de vin et une Thermos de café. Mais elle refusa catégoriquement d'encaisser le moindre argent.

— Laissez-moi au moins payer le vin, madame Thompson ! insista Izzy.

— Rien du tout ! Tu es notre invitée !

— Je suis si reconnaissante à Will de m'accueillir comme il le fait, j'aimerais lui faire plaisir en retour en lui offrant ce bon vin.

— Jamais de la vie ! Et je serais vexée si tu insistais, Izzy ! Tu fais partie de la famille. Nous t'avons connue toute petite, tu ne te rappelles pas ? Et Will m'a dit que tu t'étais proposée de l'aider dans ses comptes. C'est vraiment un grand service que tu lui rends : je crois que tu ne mesures pas le travail qui t'attend !

En effet, quand Izzy entreprit de s'installer dans le bureau de Will pendant qu'il s'occupait des animaux, elle découvrit l'ampleur du désordre qui régnait dans ses papiers. Il avait tout mélangé, les comptes de sa famille, de la ferme et des commerces ! Elle décida d'abord d'opérer un tri, et à cette occasion, elle commença par jeter une bonne quantité de vieux bordereaux et de notes déjà enregistrées qui ne servaient plus à rien.

Puis elle sépara les diverses dépenses et recettes en trois catégories, ferme, commerce, et ménage. Une fois ce travail préalable terminé, elle put commencer à s'attaquer à la comptabilité proprement dite. Elle se colletait à la tâche depuis un bon moment déjà quand Will apparut sur le seuil.

— Mon Dieu ! Quel courage tu as ! Mais arrête un peu, il faut partir maintenant ! Je vais prendre une douche et je repasse te prendre !

Un quart d'heure plus tard, il la rejoignait en bas dans la cuisine. Il saisit le sac rempli de nourriture d'un air radieux.

— Dépêchons-nous ! dit-il en prenant Izzy par le bras.

En montant dans la voiture, elle vit sur la banquette un gros bouquet de fleurs des champs.

— C'est pour toi, dit-il en riant.

Elle l'admira puis le déposa à l'arrière et donna à Will un léger baiser. Enfin, ils se mirent en route.

— On se servait du tracteur de papa autrefois, tu te rappelles ?

— Et quand on était nombreux, les copains s'installaient dans la remorque ! Nous étions jeunes…

Will soupira à cette évocation.

— Oui…

Il y avait dans ce soupir toute la mémoire des beaux jours enfuis. En effet, ils étaient jeunes et sans souci alors. Ils ne se doutaient pas de ce que l'avenir leur réservait. Mais Izzy décida de chasser de son esprit toute nostalgie. C'était le présent qui comptait !

Ils arrivèrent bientôt près du saule où ils avaient connu de si merveilleux instants. Ils restèrent d'abord un long moment silencieux à admirer le paysage, qui n'avait pas changé. Puis Will se tourna vers Izzy d'un air grave.

— Je me demande si je dois sortir la couverture du coffre… Dès qu'elle sera étendue par terre, je crois que je vais me jeter sur toi pour te faire l'amour !

— J'y compte bien ! dit-elle en riant.

— Comment ? Ici, en plein jour ?

— Il n'y a pas âme qui vive dans les parages !

Will prit un air faussement pudibond.

— Je crois que je n'aurais même pas dû décrocher ma ceinture de sécurité. Tiens, je vais la remettre !

Izzy ouvrit de grands yeux innocents.

— Ce ne serait pas pratique du tout, tu sais !

Sa voix mutine était si drôle que Will ne put se retenir de rire.

— Tu es une vraie sorcière ! dit-il en l'embrassant.

— Et ça ne te plaît pas ?

Will choisit d'éluder la question, au grand soulagement d'Izzy qui venait de s'apercevoir qu'elle parlait un peu trop sans réfléchir. Elle l'aida à étendre sur l'herbe la grande couverture qu'il s'était finalement résolu à déplier. Puis ils y prirent place, chacun à un bout, et ils commencèrent à vider le contenu du panier.

— C'est ta mère qui a insisté pour le remplir ! dit-elle en le voyant froncer les sourcils.

— Il va falloir tout manger sinon elle sera très vexée.

— Je l'ai déjà vexée en lui proposant de payer.

— On dirait que tu ne la connais pas !

Il se mit à découper la tarte salée et lui en tendit une part mais recula la main au moment où elle s'approchait, pour l'obliger à se pencher en avant. Elle constata qu'il plongeait les yeux dans son décolleté d'un air intrigué.

— Quoi ? Qu'y a-t-il ?

— Qu'est-ce que c'est que ça ?

— De quoi parles-tu ?

— De cette chose que tu portes, là, sous ton T-shirt. On dirait presque un soutien-gorge.

— *C'est* un soutien-gorge.

— Vraiment ? Il n'a pas l'air de peser plus lourd que le minuscule bout de dentelle que j'ai aperçu le jour où tu m'as demandé de l'aide pour remonter ta fermeture Eclair de jean…

— C'est la même marque de lingerie.

Will se leva pour s'agenouiller tout près d'elle et noua ses mains autour de sa taille.

— Izzy, il faut absolument que je t'embrasse tout de suite sinon je vais avoir un malaise !

Il l'entraîna en arrière et ils se retrouvèrent allongés l'un contre l'autre. Will chercha aussitôt la bouche d'Izzy et l'embrassa passionnément. Son désir était si évident qu'elle en frémit.

— Will…, murmura-t-elle d'une voix tremblante.

Il relâcha son étreinte en soupirant.

— Pardon, Izzy, j'en ai envie depuis trop longtemps…

Il avait passé la main sous son T-shirt et la caressait dans le dos. Ses doigts impatients firent sauter l'attache de son soutien-gorge et se mirent à caresser doucement ses seins. Izzy ne put retenir un gémissement. Elle se sentait sur le point de s'évanouir. Will chuchotait dans son cou.

— Je te désire si fort, Izzy… oh, tu ne peux pas savoir !

Un feu inconnu brûlait au fond des yeux bleus familiers qu'elle aimait tant. Durant quelques secondes, elle s'abandonna entièrement, sans plus songer au lieu où ils se trouvaient. Ce fut lui qui reprit conscience le premier.

— Oh, Izzy... nous ne pouvons pas faire l'amour ici !

La jeune femme lui répondit par un profond soupir. A cet instant, elle aurait été prête à n'importe quelle folie ! Mais elle retrouva brusquement la raison à son tour et s'écarta prudemment.

— Oh, c'est trop bête !

Will acquiesça en hochant la tête.

— Si seulement nous pouvions être tranquilles à la maison... Si je n'avais pas les enfants toujours dans les jambes ! Et toutes ces obligations qui me grignotent l'existence !

Izzy sentit son cœur se serrer. Le mur qui les séparait venait de réapparaître comme un spectre.

— Chut..., dit-elle en posant un doigt sur ses lèvres.

Elle se pencha pour effleurer ses lèvres, puis ses joues mal rasées qui grattaient un peu. Mais c'était une sensation très sensuelle et cette barbe de deux jours lui allait si bien ! Elle le regarda avec une infinie tendresse.

— Ce n'est pas grave.

Il se redressa et se força à rire.

— Nous devrions manger un peu si nous voulons venir à bout de toutes ces bonnes choses avant de rentrer ! Il ne faudra pas trop tarder, d'ailleurs. Il y a la traite, et puis je dois m'occuper des agneaux nouveau-nés...

— Pourquoi ne m'as-tu pas appris à le faire ? J'aurais pu te donner un coup de main.

— Tu m'aides déjà à venir à bout de mes comptes, tu ne peux pas tout faire.

— Oh, je peux faire beaucoup encore..., répondit-elle d'un air énigmatique.

Sur le chemin du retour, Will se montra plutôt silencieux. Il ressentait une telle frustration qu'il ne pouvait cacher tout à fait son amertume. Ce pique-nique avait été un moment délicieux d'intimité avec Izzy, mais il avait encore plus envie d'elle et cette sensation le rendait fou.

— Je ferais mieux de te ramener à Londres, énonça-t-il gravement.

— Si tu montes chez moi, je ne te laisserai pas repartir ! dit-elle en riant.

— Je n'en aurais probablement pas envie, d'ailleurs…, admit-il tristement.

Tout à coup, il ralentit et se rangea sur le côté de la route.

— Tiens, que se passe-t-il ?

Il désignait une petite maison basse au fond d'un grand jardin.

— C'est Mme Jenks qui habite là, précisa-t-il.

— Et alors ? Qu'est-ce qui t'étonne ?

— Il n'y a pas de fumée. Ce n'est pas normal, parce qu'elle fait toujours du feu pour cuire son repas, même l'été. Il faut que j'aille jeter un coup d'œil.

Izzy le suivit et ils s'aperçurent que la porte était restée ouverte. Le petit chien de la vieille dame apparut en aboyant.

— Je n'aime pas ça ! dit Will en se précipitant dans la cuisine.

Mme Jenks était affalée dans un vieux fauteuil d'osier, la tête renversée et les yeux fermés. Will crut tout d'abord qu'elle était morte. Mais quand il l'appela par son nom, elle entrouvrit les paupières d'un air douloureux.

— Will ?… Oh, tu es gentil de t'occuper de moi…

— Je vais appeler le médecin.

— Non, ce n'est pas la peine, Will, il ne pourra rien pour moi, je suis en train de mourir.

— Mais madame Jenks, vous souffrez…

— Oui, c'est mon cœur. Il est fini, tu sais. Il n'y a plus rien à faire.

— Mais si ! A l'hôpital, on va vous soigner !

— Non, non, Will ! Je ne veux pas aller à l'hôpital !

— Mais on ne peut pas rester sans rien faire !

— Ne t'inquiète pas, Will. Tu es là, près de moi, ça me suffit, je ne mourrai pas seule… Donne-moi juste un peu d'eau, j'ai soif.

Izzy alla remplir un verre et le tendit à Will pour qu'il fasse boire Mme Jenks, qui leva lentement les yeux.

— Izzy… il faut que tu prennes soin de Will. C'est quelqu'un de bien, et toi aussi.

Il y eut un bref silence durant lequel Izzy dut retenir ses larmes. Puis la vieille dame se tourna avec difficulté vers la fenêtre.

— Quel temps fait-il ?

— Très beau, dit Will un peu surpris.

— J'aimerais bien mourir dans le jardin.

Will échangea un bref regard avec Izzy, puis il souleva Mme Jenks dans ses bras pour la porter jusqu'à une chaise longue en rotin sur la pelouse.

— Merci…, mumura-t-elle d'une voix de plus en plus faible.

Elle ferma les yeux et parut s'endormir calmement. Au bout de quelques secondes, Izzy posa la main sur son front.

— C'est fini…, chuchota-t-elle avec un sanglot dans la gorge.

Will hocha la tête et prit délicatement la main de Mme Jenks. Il ne chercha pas à essuyer les larmes qui glissaient le long de ses joues.

— Laissons-la ici au soleil comme elle l'a souhaité. Je vais appeler son fils, Simon.

Il se leva en soupirant et Izzy vint l'entourer de ses bras.

— Will… ça ira ?

— Oui. J'aimais beaucoup Mme Jenks et je suis heureux de m'être trouvé là au bon moment.

Izzy se souvint tout à coup du bouquet de fleurs des champs qu'il lui avait offert quelques heures plus tôt et qui se trouvait encore à l'arrière de la voiture. Elle alla le chercher et revint le placer près du corps de la vieille dame.

Will l'observait d'un air attendri.

— Merci, Izzy… murmura-t-il

Sans autre commentaire, il rentra dans la maison pour téléphoner.

Le lendemain et les jours suivants, Will fut littéralement submergé par les différentes formalités liées au décès de Mme Jenks. Non seulement Simon n'était pas à la hauteur de la situation pour organiser les obsèques, mais il fit toutes sortes d'histoires concernant la maison. Il cherchait à s'approprier les meubles et divers objets qui appartenaient en réalité à la famille Thompson, et il fallut faire appel à la loi. Les nombreux déplacements ainsi occasionnés laissaient à Will peu de temps pour son travail et il commençait à s'en plaindre.

De son côté, Izzy faisait tout pour lui faciliter la tâche dans la mesure de ses capacités. Comme son bras la faisait moins souffrir, elle put s'occuper un peu des enfants, mais surtout des comptes. Elle en profita pour ranger le bureau et mettre un certain nombre de choses en ordre dans la maison.

— Je ne sais plus où sont rangées mes affaires ! dit un jour Will en riant.

Mais il la remercia chaleureusement de s'être donné tout ce mal. Comme ils se trouvaient seuls dans le bureau, il s'approcha d'elle et pour la première fois depuis leur pique-nique posa ses lèvres sur les siennes. Et il fut soudain emporté par une vague de désir si puissante qu'il la serra contre lui à l'en étouffer. Izzy le repoussa en frémissant.

— Will... nous ne pouvons pas continuer ainsi. Il faut trouver une excuse pour aller passer une journée chez moi à Londres.

Will hocha la tête d'un air désolé.

— Ce serait magnifique, mais je ne vois pas comment je pourrais m'échapper en ce moment, hélas !

— Soyons patients alors. D'ici quelques jours, tu auras plus de temps à toi, non ?

— Oui, sans doute. On enterre Mme Jenks demain, tu sais. Tu viendras avec moi, n'est-ce pas ?

Izzy n'hésita pas un instant.

— C'était bien mon intention, dit-elle en songeant qu'ils seraient présents tous les deux devant les gens du village un peu comme un couple officiel.

En effet, le lendemain, ils partagèrent la même émotion durant la cérémonie très simple organisée dans la charmante église du canton. Will avait veillé à ce que tout soit parfait pour la mémoire de la vieille dame et il fut attentif jusqu'à l'enterrement dans le petit cimetière du village.

En l'observant à la dérobée, Izzy vit qu'il avait les sourcils froncés et le regard perdu au loin. Sans doute songeait-il à Julia. Elle n'osa pas le lui demander mais son air sombre le lui confirmait. Elle se contenta de lui prendre la main quand tout fut terminé.

— Viens, rentrons vite à la ferme.

Il la suivit sans un mot. Elle décida de respecter son chagrin car il revivait sans doute avec la disparition de la vieille dame le deuil de Julia. Il l'avait beaucoup aimée, c'était certain. Et tout à coup, il lui apparut clairement qu'elle ne pouvait être qu'un simple épisode dans la vie de Will. Julia avait été la mère de ses enfants, donc la femme de sa vie et aucune autre ne pourrait la remplacer. Et aujourd'hui, il ne pouvait surmonter sa peine.

Comme pour confirmer ses soupçons, il disparut dès qu'ils furent arrivés à la ferme. Elle pensait qu'il montait juste se changer, mais elle le vit ensuite partir dans la campagne avec son chien sans prononcer un mot. Le cœur serré, elle le regarda s'éloigner et se dirigea tristement vers le restaurant où elle retrouva Mme Thompson et quelques amis. Mais tout le monde parlait encore des funérailles et Izzy se sentit brusquement très seule.

Elle décida d'appeler Emma pour lui proposer de déjeuner avec elle. C'était la meilleure solution pour évacuer toute cette tristesse. Un petit chemin de traverse conduisait directement au village voisin. Elle se mit donc en route pour aller rejoindre son amie à pied, songeant qu'un peu d'exercice lui ferait le plus grand bien.

Mais au bout de quelques minutes, elle se sentit soudain très fatiguée. C'était la première fois qu'elle marchait autant depuis son accident et en plus, elle avait l'estomac vide. Par ailleurs, ces premiers jours de mai étaient particulièrement chauds. Le soleil lui brûlait les yeux. Elle arriva chez Emma en sueur et presque hors d'haleine.

Heureusement, la vieille bâtisse était fraîche derrière ses murs épais. Emma la fit asseoir d'un air un peu inquiet.

— Que se passe-t-il, Izzy ? Tu as l'air épuisée.

Mais Izzy observait elle aussi son amie avec étonnement.

— Moins que toi, Emma. Tu n'as pas très bonne mine, dis-moi.

Emma eut un rire un peu nerveux.

— Oh, c'est comme d'habitude. Je suis encore enceinte.

— Mais… tu m'avais dit que tu ne voulais pas d'autre enfant.

— Non, celui-ci n'est pas voulu… mais il sera le bienvenu tout de même ! Parlons plutôt de toi. Tu sembles sur le point de t'évanouir ! Est-ce que tu as mangé, au moins ?

Izzy avoua que non et Emma sortit de son réfrigérateur de quoi la restaurer. Tout en mangeant, elle lui raconta l'enterrement et la réaction de Will. Emma ne parut pas surprise.

— Le pauvre… Je pense qu'il se sent toujours coupable.

Izzy sursauta.

— Coupable ? De quoi ?

— Oh, Julia et lui n'étaient pas précisément ce qu'on peut appeler un couple heureux. Will faisait tout son possible pour que sa femme ne manque de rien, mais…

— Il l'aimait !

— Oui, oui… Mais pas comme elle l'aurait souhaité sans doute. Il l'avait épousée parce qu'elle était enceinte. C'est une très mauvaise raison pour envisager le mariage…

Izzy ouvrit des yeux incrédules.

— Je ne le savais pas… Mais ils ont eu un second enfant, c'est donc qu'ils ne songeaient pas à se séparer !

Elle revoyait le visage décomposé de Will aux funérailles. Ses yeux exprimaient un chagrin sincère, elle en était sûre. Et il avait dit lui-même qu'il aimait Julia.

— Peut-être que Julia n'était pas heureuse, mais en tout cas, elle n'a pas manqué d'amour avec Will ! dit Izzy avec force.

— On ne pourra jamais savoir la vérité. Crois-tu que moi, je sois très heureuse avec Rob ? Je me demande parfois ce que je lui ai trouvé ! Dire que je le voyais comme le garçon le plus sexy de la région ! Et voilà où j'en suis, quatre enfants en dix ans ! Il faut croire que je l'aime malgré tout !

Elle prit une glace dans le réfrigérateur et la lui offrit en riant.

— En tout cas, je ne m'inquiète pas pour cette grossesse, j'ai fait le tour de la question maintenant ! Pour le moment j'en suis aux nausées, ensuite, je vais me mettre à dévorer et je vais devenir énorme, et puis ce sont mes seins qui vont gonfler à en éclater ! Sans compter la fatigue, la nervosité, le manque de sommeil parce qu'on ne sait plus quelle position trouver au lit ! Que des réjouissances en somme !

— Mais au bout de toutes ces petites épreuves, c'est un nouvel enfant qui sera là ! C'est génial, non ?

— Oui, c'est vrai… Je te souhaite d'en avoir un aussi, d'ailleurs ! Mais parlons un peu de ton bras. Tu as l'air d'aller mieux, non ?

— Pas trop, j'ai toujours un peu mal. Mais on m'enlève le plâtre demain, j'espère que je me sentirai mieux.

— Tu as rendez-vous à l'hôpital ? Veux-tu que je t'accompagne ?

— Merci, tu es gentille, je suppose que Will m'y conduira.

— Ne compte pas trop sur lui. Rob vient de me dire qu'il le voyait demain matin pour lui servir de témoin face à Simon Jenks avec qui il a encore un problème. Alors, je passe te prendre à quelle heure ?

Izzy faillit accepter, mais en considérant le visage épuisé de son amie, elle changea d'avis.

— Tu es vraiment adorable, Emma, mais je préfère appeler un taxi, ce sera plus simple.

Emma insista encore mais en vain. Izzy ne revint pas sur sa décision. Elles bavardèrent encore un peu, puis Izzy reprit le chemin de la ferme.

Le lendemain, elle se rendit en taxi à l'hôpital, comme elle l'avait prévu. Contrairement à ce qu'elle craignait, elle ne souffrit pas du tout au moment où on lui retira son plâtre car la jeune interne désignée pour s'en charger était à la fois très douce et fort compétente. Dès que son bras fut libre, Izzy se sentit redevenir une autre femme. Elle pouvait enfin le plier et s'en servir presque normalement.

Sa première envie fut d'aller dans un institut de beauté pour une séance de manucure, car elle n'avait jamais osé demander à Will de l'aider à se faire les ongles ! Ensuite, elle appela un autre taxi pour rentrer à la ferme. Elle lui demanda de s'arrêter devant le restaurant de Mme Thompson. Elle n'avait pas très faim, mais elle se sentait si faible qu'elle jugeait plus prudent d'avaler un léger repas.

Cependant, l'odeur des œufs et du bacon frits lui procura une horrible nausée. Elle n'eut que le temps de courir jusqu'à la ferme et de s'enfermer dans les toilettes. Quand elle en ressortit, quelques minutes plus tard, sa tête tournait et ses jambes se dérobaient sous son corps. Elle se passa de l'eau fraîche sur le visage, puis se laissa tomber dans un fauteuil.

C'était sans doute une réaction aux soins qu'elle avait subis à l'hôpital qui se manifestait après coup. Mais comme son malaise se prolongeait, elle sentit une certaine inquiétude la gagner. Cette sensation de faiblesse et de nausée durait un peu trop pour être attribuée seulement au fait qu'on lui ait retiré son plâtre.

Par ailleurs, elle avait constaté le matin même que ses seins étaient anormalement gonflés. Et tout à coup, une pensée fulgurante lui traversa l'esprit. Son cycle menstruel était totalement perturbé… Elle avait un retard de plus de deux semaines, elle qui n'avait jamais connu ce genre de problème ! Etait-ce le choc psychologique dû au fait d'avoir revu Will et d'avoir partagé ces dernières semaines avec lui ? Ou bien…

10.

Il n'était pas question pour Izzy de confier ses craintes à Will. Les mots d'Emma lui revenaient à la mémoire. Se retrouver enceinte par accident, c'était selon elle « une très mauvaise raison pour envisager le mariage » ! Elle ne tenait pas à imposer à Will une seconde fois cette erreur !

Elle se rappela soudain qu'il avait commencé à lui parler de Julia, mais qu'elle-même l'avait arrêté parce qu'elle ne voulait pas mêler le passé à leur nouvelle relation. Avait-il eu l'intention de lui avouer qu'il n'avait pas été très heureux avec sa femme ?

En tout cas, la meilleure décision à prendre était de quitter la ferme au plus vite et de rentrer à Londres. Son bras était encore un peu fragile mais d'ici peu, avec la rééducation, elle serait capable de s'en resservir. Si elle restait chez Will plus longtemps, il finirait par deviner son état, et elle ne le voulait surtout pas.

Un bébé… Elle attendait un bébé ! Très émue soudain, elle posa la main sur son ventre. Il faudrait encore de longues semaines avant qu'elle n'éprouve vraiment sa présence. Mais elle sentait qu'il était bien là et les tests ne feraient que le lui confirmer, elle en était certaine.

Elle se mit à faire sa valise lentement. Puis elle sortit et se dirigea vers le Vieux Chariot pour annoncer son départ à Mme Thompson. Mais à peine eut-elle tourné le coin de la maison qu'elle aperçut une armée de photographes ! Elle fit aussitôt demi-tour pour se réfugier à l'intérieur et appela M. Thompson au téléphone. Il semblait dans tous ses états.

— Oh, Izzy, j'allais juste t'appeler pour t'avertir !

— Que se passe-t-il ?

— Tu as été reconnue hier à l'enterrement et quelqu'un a signalé ta présence à ces paparazzi !

— Oh, mon Dieu ! Moi qui avais promis à Will de faire attention à ce que nous ne soyons pas envahis ! Et j'étais sur le point de partir, ma valise est prête !

— Veux-tu que je t'accompagne discrètement ?

— Ce serait vraiment gentil, merci !

— Bon, attends-moi à la porte de la cuisine, je serai là dans trois minutes.

Izzy traîna sa valise dans l'escalier avec son bras valide et se posta où M. Thompson devait venir la chercher en prenant soin de rester invisible de la fenêtre. Mais tout à coup, la porte s'ouvrit bruyamment. Will entra et vint la prendre par la taille.

— Mon père m'a dit que tu partais ! Pourquoi ?

— Je ne peux pas rester ici, Will. Tu as vu les photographes ?

Il resta silencieux un bref instant, puis hocha la tête.

— Tu as peut-être raison... Ce sera un enfer pour toi si tu restes.

— Et pour vous tous. Je pense surtout à tes enfants.

— Viens, je t'emmène à la gare.

— Ton père doit m'accompagner, c'est mieux comme ça. Je déteste les adieux en public.

Il parut hésiter.

— C'est peut-être mieux en effet... Izzy... prends soin de toi et... à bientôt !

Izzy réprima une brusque envie de pleurer.

— Je t'appellerai, Will. Merci pour tout ce que tu as fait pour moi. Tu as été formidable.

En faisant un effort immense pour ne pas éclater en sanglots, elle s'approcha de Will pour poser un baiser sur sa joue. Puis elle s'écarta très vite et saisit sa valise. Il la lui reprit des mains pour la porter lui-même et ils se faufilèrent au-dehors en longeant les murs pour ne pas risquer d'être vus. M. Thompson vint à leur rencontre et après de brefs adieux à Will, Izzy s'engouffra dans la voiture.

A la gare, elle réalisa soudain qu'elle marchait sur le quai comme un automate. Elle avait de plus en plus de mal à contenir ses larmes. M. Thompson la serra dans ses bras pour lui dire adieu.

— Merci à vous et à Mme Thompson pour votre gentillesse, murmura-t-elle tristement.

— Tu vas nous manquer, répondit le vieux monsieur visiblement ému lui aussi.

Il la prit par les épaules et lui sourit d'un air grave.

— J'espère que tu reviendras bientôt. Ta présence est bonne pour Will, tu sais. Et les enfants se sont attachés à toi…

Izzy avait la gorge nouée et se sentit incapable de lui répondre. Après l'avoir embrassé, elle monta s'installer à sa place, le cœur très gros. Le train se mit en marche et la silhouette de M. Thompson resté sur le quai à lui faire signe devint de plus en plus petite et floue. Izzy détourna la tête et put enfin laisser libre cours à sa détresse. Une brusque nausée la reprit et elle dut se lever pour rejoindre les toilettes. Le voyage jusqu'à Londres lui parut interminable.

Rob hochait la tête d'un air scandalisé.

— Tu sais, il faut vraiment que Simon Jenks cesse de raconter toutes ces âneries ! Dis… Will ? Tu m'écoutes ?

Will parut se réveiller d'un songe et se passa la main sur le front.

— Euh… oui, oui, Rob, je t'ai entendu.

Il ne put réprimer un profond soupir. Depuis le départ d'Izzy, il était comme assommé. Il avait toujours su pourtant qu'elle devrait repartir un jour, mais il avait beaucoup de mal à l'accepter. Evidemment, Izzy n'avait plus besoin de personne pour l'aider et il était tout à fait normal qu'elle aspire à rentrer chez elle. Et sans doute lui-même retrouverait-il bientôt ses habitudes et ne songerait-il plus à la regretter…

Tout allait redevenir comme avant la venue d'Izzy. Oui, sa petite vie allait reprendre son cours… Mais combien de temps pourrait-il encore supporter sa solitude ? Douze ans de plus ?

De son côté, Izzy se sentait toute perdue dans la grande ville. Londres qu'elle adorait autrefois lui semblait vide et sans âme. Tout l'ennuyait et les lieux où elle avait l'habitude de se rendre étaient soudain devenus inhospitaliers. Elle préférait se cloîtrer chez elle, mais là encore, elle découvrait que sa solitude lui pesait maintenant comme jamais. Les quelques semaines qu'elle venait de passer avec Will avaient bouleversé le cours de sa vie.

Heureusement, il y avait la perspective de ce bébé à naître et quand elle fut enfin certaine d'être enceinte, elle commença peu à peu à retrouver le goût de vivre. Elle allait devoir envisager de grands changements et tous ces projets lui occupaient assez l'esprit pour estomper sa tristesse.

Mais pour le moment, elle n'avait qu'une envie : rester des heures à se reposer sur sa terrasse-jardin à siroter un jus de fruits, un livre à la main, envahie par la rumeur de la ville qui lui faisait regretter le calme de la ferme.

Peu à peu, une idée s'imposa à elle. Elle voulait que son enfant grandisse dans les meilleures conditions, c'est-à-dire loin de la pollution et de la foule. Elle irait s'installer à la campagne ! Pour cela, elle devrait vendre ses sociétés…

Mais comment annoncerait-elle son projet à Kate ? Elle n'imaginait pas que le destin viendrait l'aider. Un beau jour, en effet, elle reçut un coup de téléphone de sa chère assistante et amie lui apprenant d'une voix coupable qu'elle avait rencontré l'homme de sa vie en Australie et qu'elle envisageait d'y vivre ! Izzy faillit éclater de rire et la remercier. Mais Kate aurait cru à une plaisanterie, et Izzy ne tenait pas à lui apprendre déjà la grande nouvelle.

— Dis-moi… comment va cet homme superbe qui t'avait accompagnée un jour au bureau ? demanda Kate ingénument, comme si elle avait deviné quelque chose.

Izzy se contenta de lui répondre qu'à sa connaissance, il se portait plutôt bien. En réalité, elle n'avait pas de nouvelles de Will. Il ne l'avait pas appelée depuis son retour à Londres, et elle n'avait pas pris non plus l'initiative de lui téléphoner. Elle préférait attendre un peu, se demandant même si elle allait lui parler du bébé avant la naissance. Peut-être le ferait-elle tout de même d'ici quelque temps. Il fallait qu'elle réfléchisse encore.

Sans doute lui proposerait-il de l'épouser, comme il l'avait fait avec Julia quand elle s'était retrouvée enceinte de lui. Will était un homme d'honneur et de devoir. Mais il était hors de question qu'elle accepte. Elle ne voulait pas devenir sa femme juste pour une question de conscience. C'était la raison pour laquelle elle préférait lui parler de l'enfant le plus tard possible.

Elle posa la main sur son ventre et se mit à parler à son bébé comme elle avait pris l'habitude de le faire depuis quelque temps.

— Où irons-nous vivre, mon chéri ? Pourquoi pas dans la même région que ton papa ? Ainsi, tu pourras jouer avec les enfants de Rob et Emma. Et moi, j'aurai mes amis tout près, je me sentirai moins seule. Sans compter tes grands-parents et tes frère et sœur…

Elle songea tout à coup à ses propres parents à qui elle n'avait pas encore annoncé la nouvelle. Elle n'avait pratiquement plus de contact avec eux depuis des années. Ils avaient toujours désapprouvé sa manière de vivre car ils croyaient tout ce que les journaux à sensation racontaient. Il ne fallait pas qu'elle compte sur eux pour l'épauler en cas de besoin. Ils verraient de temps à autre leur petit-fils, le moins possible sans doute, mais cela lui était égal. Elle avait appris depuis longtemps à se passer d'eux.

La première chose à faire serait de chercher une maison agréable pour y élever son enfant. Elle pourrait faire appel à Tom Savage, son copain d'enfance devenu agent immobilier. Elle avait justement eu l'occasion de le revoir à la soirée d'anniversaire de Rob. L'idée lui parut si bonne qu'elle ne put patienter plus longtemps et prit son téléphone. Au bout du fil, Tom parut enchanté d'avoir de ses nouvelles.

— Une maison proche du village ? Oui, c'est possible.

— Disons… dans un rayon de cinq kilomètres au plus, précisa Izzy.

Tom promit de la rappeler rapidement. A peine une demi-heure plus tard, le téléphone sonnait.

— Izzy ? C'est Tom. J'ai eu une idée. Il y a une ferme à vendre à trois kilomètres au sud du village. On l'appelle Wildmay Farm, tu la connais peut-être ?

— Mais… oui ! C'est la maison où vivait Mme Jenks, non ?

— Exactement.

— Elle appartient à Will !

— En effet. Il l'a mise en vente récemment. Le seul problème, c'est qu'il faudra faire pas mal de travaux.

— Oh, ce n'est pas gênant, mais…

Elle se souvenait du jour où ils étaient arrivés juste à temps pour être présents aux côtés de Mme Jenks à son dernier souffle. Jamais elle ne pourrait oublier l'image de Will, les yeux pleins de larmes, portant la vieille dame au soleil.

— Je vais y réfléchir, dit-elle tristement.

— Ne tarde pas trop. C'est le genre d'affaire qui part très vite.

Izzy hésita un instant.

— Je voudrais te poser une question, Tom. Pourrais-je acheter cette maison de manière, euh… anonyme, pour le moment du moins ?

— Certainement.

— Puis-je prendre une option sur cette maison sans m'engager tout de suite ?

— Bien sûr, mais tu devrais venir la visiter un de ces jours.

— Oh, c'est inutile, je la connais.

— Alors, dans ce cas, appelle-moi quand tu seras décidée. Je pourrai même venir à Londres pour te faire signer la promesse de vente.

Ce qui fut dit fut fait. Quelques jours plus tard, Izzy prit rendez-vous avec Tom. Hélas, à peine venaient-ils de s'installer dans un restaurant discret pour s'occuper des papiers qu'une véritable armée de photographes apparut comme par enchantement. Les flashes crépitaient et on la harcelait de questions.

— Mademoiselle Brooke ! Isabel ! Est-il vrai que votre idylle avec Will Thompson est terminée ?

— Ce monsieur est-il votre nouveau fiancé ?

— Mademoiselle Brooke, s'il vous plaît ! Donnez-nous quelques informations !

Tom leur adressa un sourire visiblement crispé.

— Désolé de vous décevoir, mais je suis marié et très heureux en ménage !

L'un des journalistes importuns pointa un micro sous le nez d'Izzy qui se leva aussitôt en faisant signe à Tom de la suivre. Il lui prit le bras et ils se ruèrent au-dehors. Après quelques secondes de fuite éperdue, ils purent héler un taxi et échapper aux journalistes. Izzy donna son adresse au chauffeur et poussa un profond soupir.

— Est-ce toujours comme cela quand tu sors ? lui demanda Tom.

— La plupart du temps, je fais très attention à ne pas être reconnue. Nous n'avons pas eu de chance.

— Je me demande comment tu peux supporter ça.

— Je ne le supporte pas ! Tu comprends maintenant pourquoi je veux acheter la ferme de manière anonyme. Je ne désire pas de publicité !

— Oui, bien sûr, je vois. Ne te fais aucun souci, mes employés sont discrets.

Il ouvrit sa sacoche et lui montra des documents à l'intérieur.

— Quand nous serons chez toi, je te montrerai le plan précis de la maison. Je n'ai pas celui des dépendances, mais je peux te donner les dimensions de la grange et des appentis attenants. Une fois rénovée, ce sera une maison spacieuse et très agréable. Et le terrain peut devenir un très beau jardin.

— Oui, j'ai déjà quelques idées d'aménagement. J'envisage même de créer des chambres d'hôtes dans la grange. J'aurai ainsi une occupation.

Tom la considéra d'un air surpris.

— Je croyais que tu voulais en faire une résidence secondaire…

— Non, j'ai l'intention d'y vivre. Je suis fatiguée de la vie que je mène. J'en ai assez de mon travail et de tous ces odieux journalistes de la presse à scandale. J'ai besoin d'un peu de calme.

Du calme et de la sérénité, c'était ce qu'il lui fallait pour élever son enfant, mais elle se garda de le préciser à Tom. Il hocha la tête d'un air compréhensif.

— Tu as raison. Et puis, tu seras tout près de tes anciens amis. La famille Thompson, par exemple.

Elle se doutait que Tom ferait indirectement allusion à ses relations avec Will. Il avait dû apprendre qu'elle avait vécu plusieurs semaines chez lui durant sa convalescence.

— A ce propos, Tom, je tiens à ce que lui aussi ignore que c'est moi qui achète sa ferme. Sinon, il se croira obligé de me la vendre à un prix d'ami, et je ne le veux pas.

— D'accord, je comprends. Je ne suis pas tenu de lui communiquer le nom de l'acheteur avant le jour de la signature.

Le taxi les déposa devant l'immeuble d'Izzy, où quelques paparazzi étaient déjà postés. Ils s'engouffrèrent dans le hall d'entrée pour leur échapper.

— Je deviendrais fou à ta place ! commenta Tom.

Le gardien vint à leur rencontre.

— Je suis désolée pour le tapage devant la porte, George ! lança Izzy en souriant.

— Ce n'est rien, mademoiselle Brooke, j'ai l'habitude, et les voisins aussi ! Je vais les renvoyer, ne vous inquiétez pas.

Izzy le remercia avant de monter dans l'ascenseur avec Tom. Une fois installés dans son salon autour d'une tasse de thé, ils commencèrent à examiner sérieusement la négociation. Izzy jugea opportun de faire appel à son conseiller fiscal. Ce dernier joint au téléphone se montra très surpris d'apprendre qu'elle offrait dix pour cent de plus que le prix demandé pour l'achat de la maison.

— Ce n'est pas l'usage ! lui fit-il remarquer sans lui cacher sa réprobation.

145

— Je sais, mais je tiens absolument à devenir propriétaire de ce bien et je ne veux pas risquer de voir un autre acheteur l'acquérir avant moi, précisa-t-elle d'une voix ferme.

Le conseiller parut se résigner.

— Bon, si c'est ainsi… je me charge de débloquer la somme nécessaire et la faire virer sur votre compte courant, mademoiselle Brooke.

Les jours suivants furent entièrement consacrés à régler l'achat de la maison de Mme Jenks. Tom prépara la promesse de vente pour qu'Izzy puisse la signer et s'assurer ainsi de devenir propriétaire de la petite ferme. L'argent fut bien transféré sur son compte en temps utile. Tout s'annonçait pour le mieux, hormis le fait que la presse à sensation ne cessait de faire état de sa nouvelle idylle avec Tom !

Elle s'arrangea pour se rendre avec la plus grande discrétion à l'agence de Tom pour apposer sa signature sur le document. Hélas, en descendant de sa voiture juste devant l'officine, elle tomba sur Rob !

— Izzy ? Qu'est-ce que tu fais là ? demanda-t-il d'un air stupéfait.

— Euh… je suis venue voir un ami…, bredouilla-t-elle, un peu prise de court.

Au même moment, Tom sortait pour l'accueillir. Les yeux écarquillés de Rob laissaient deviner quelle supposition venait de naître dans son esprit. D'autant plus que Tom avait encore à la main l'annonce concernant la maison, qu'il venait juste de retirer de la vitrine. Tout le monde dans la région savait que Will avait mis en vente la ferme où vivait Mme Jenks. La conclusion n'était pas difficile.

Mais Rob ne fit aucun commentaire et se contenta de les saluer avant de s'éloigner discrètement. Izzy se doutait pourtant qu'il ne garderait pas la nouvelle pour lui...

— Oh, c'est trop bête ! dit Tom comme pour faire écho à l'agacement d'Izzy.

— Oui, j'avais pris toutes les précautions pour passer inaperçue ! Mais nous ne pouvions pas prévoir, Tom.

Quand elle eut signé la promesse de vente, Izzy se leva pour repartir.

— Tu ne veux vraiment pas revoir la maison ? suggéra Tom en prenant les clés dans un tiroir.

Izzy hésita un instant.

— J'en ai envie, bien sûr, mais je ne suis pas sûre que ce soit très raisonnable. On ne sait jamais, Will pourrait se trouver dans les parages.

— Il est assez curieux de connaître l'identité de l'acquéreur, je dois te l'avouer.

— Je m'en doute, et il faudra bien qu'il l'apprenne un jour.

— Will n'a pas encore fini de déménager les meubles, mais il m'a promis que ce serait fait avant la signature définitive.

Elle se doutait que Will n'avait pas encore terminé ce travail. Il était toujours si occupé qu'il lui faudrait un certain temps pour en venir à bout.

— J'ai quand même envie d'aller jeter un coup d'œil, dit-elle très vite, cédant finalement à son impatience.

Après tout, elle avait signé, et la maison était à elle maintenant. Elle monta dans sa voiture avec Tom. Mais à l'entrée du chemin qui menait à la maison, ils se trouvèrent nez à nez avec le tracteur de Will !

Il sauta sur le sol, se dirigea à grandes enjambées jusqu'à la voiture et se mit à vociférer.

— Vous êtes sur un terrain privé, faites demi-tour s'il vous plaît !

Soudain, il reconnut Tom à la place du passager.

— Tom ! Qu'est-ce qui se passe ?

Tom descendit de la voiture et s'avança jusqu'à Will.

— La maison est vendue, tu le sais. La promesse de vente vient d'être signée. J'ai le chèque sur moi, si tu veux vérifier.

— Mais alors, qu'est-ce que tu fais là ?

— Eh bien, je… euh, je fais visiter les lieux au nouveau propriétaire.

Will se pencha et bien qu'Izzy fît son possible pour disparaître derrière le pare-brise, il la reconnut brusquement. Il se retourna vers Tom avec des yeux de fou.

— Alors, non seulement tu trompes ta femme, mais tu as le culot de t'afficher ici avec *elle* ! Hors d'ici ! Et vite, avant que je ne te casse la figure !

Tom tenta de protester en douceur.

— Mais Will…

Will se rua sur lui et le saisit au collet.

— Tu me voles la femme que j'aime et en plus tu viens me narguer chez moi !

Izzy faillit s'évanouir. Avait-elle vraiment entendu ? Avait-il réellement dit *la femme que j'aime* ? La colère devait lui avoir fait perdre la tête… Elle sortit de la voiture en chancelant.

— Tom, laisse-moi lui parler.

Will se tourna vers elle, furieux.

— Nous n'avons plus rien à nous dire !

— Tu te trompes, j'ai quelque chose à te dire, Will ! Il faut que tu m'écoutes !

Tom hésitait visiblement à les laisser seuls.

— Izzy, il est hors de lui, il ne se contrôle plus ! Ne reste pas ici, ce n'est pas prudent !

— Il ne me fera aucun mal, Tom, tu peux partir. Excuse-moi de ne pas te raccompagner.

Il se résolut à lui obéir.

— Rappelle-moi, tu as mon numéro de portable.

A peine eut-il tourné les talons qu'Izzy s'avança vers Will en le regardant au fond des yeux.

— Will… tu as dit que tu m'aimes… est-ce vrai ?

Il avait l'air de plus en plus furieux et blessé à la fois.

— Et toi ? C'est Tom que tu aimes ?

Elle faillit éclater de rire mais la situation était trop dramatique.

— Jamais de la vie ! Tu as cru les inepties que les journaux racontent ?

— Que faisais-tu avec lui, alors ?

— Will ! C'est moi qui ai acheté la maison !

Il resta un long moment bouche bée et une lueur incrédule envahit son regard.

— Toi ? C'était toi le mystérieux acheteur ?

— Oui ! C'est la raison pour laquelle j'ai rencontré Tom plusieurs fois à Londres et c'est pour cela que je suis ici !

— Mais… je ne comprends pas… tu vas venir le week-end ? Je… je ne supporterai pas que tu m'imposes ainsi ta présence en te moquant de mes sentiments !

— Will ! Je ne me suis jamais moquée de tes sentiments ! J'ai même toujours eu l'impression que c'était toi qui te moquais des miens ! C'est toi qui es parti courir le monde avec ma meilleure amie et qui en es tombé amoureux !

— Non ! Je n'ai jamais été amoureux de Julia.

— C'est pourtant ce que tu m'as laissée entendre !

— J'étais obligé de l'épouser et j'ai pensé que ce serait plus facile pour toi de m'oublier si tu croyais que je l'aimais.

— Tu l'aimais bien un peu tout de même !

— Je ne l'ai jamais aimée. Pas de cette façon-là, en tout cas. Je l'ai regretté d'ailleurs, car elle aurait mérité mon amour. Je l'ai épousée parce qu'elle était enceinte, tu le sais.

— Tu avais fait l'amour avec elle sans éprouver le moindre sentiment ?

— Nous étions si jeunes… Nous avions bu, elle s'est jetée à mon cou. Une fois a suffi pour qu'elle se retrouve enceinte. Ensuite, je n'avais pas le choix. J'ai payé de ma vie ces quelques instants d'égarement.

— Tu as deux beaux enfants…

— Oui, c'est ma seule consolation. Et aussi le fait que j'ai appris à estimer Julia en vivant avec elle. Mais je n'ai jamais réussi à oublier la passion que j'avais pour toi. Et quand j'ai lu dans les journaux ce qu'on disait de toi et de Tom…

— Tu sais, Will, je n'ai pas acheté la maison pour en faire une résidence secondaire.

— Vraiment ? Que veux-tu dire ?

— Je vais venir vivre ici.

Will écarquilla les yeux.

— C'est incroyable !

— Je veux me rapprocher de toi. J'ai mis en vente mon appartement de Londres. Quand la maison sera rénovée, je viendrai l'habiter pour de bon.

— Mais… pourquoi n'as-tu pas choisi plutôt de vivre chez moi ?

Izzy eut un rire un peu amer.

— Parce que… tu ne me l'as jamais demandé !

— Je n'aurais pas osé, Izzy. Tu as tout, l'argent, la célébrité, le luxe… Moi, je n'ai rien à t'offrir.

— A part ton cœur !

Elle se jeta dans ses bras. Il l'étreignit passionnément.

— Oh, Izzy…, murmura-t-il avec des larmes dans la voix.

D'une main tremblante, il lui caressa les cheveux.

— Je t'aime, Izzy.

Elle lui tendit ses lèvres qu'il prit dans un élan presque désespéré. Puis il se mit à la bercer doucement contre lui en riant de bonheur.

— Nous allons nous marier, Izzy ! Dis-moi oui, s'il te plaît ! Reste près de moi ! Ne me quitte plus jamais !

Elle s'écarta pour le regarder au fond des yeux.

— Il faut d'abord que je te dise quelque chose.

Elle avait le cœur battant, tandis que Will l'observait d'un air un peu inquiet. Parviendrait-elle à lui annoncer la grande nouvelle ?

— Je dois te parler d'une autre raison qui m'a décidée à revenir vivre ici.

— Une autre raison ? répéta Will, apparemment très intrigué.

— Je suis… nous allons avoir un bébé.

Il la considéra d'un air stupéfait.

— Mais… c'est incroyable… nous n'avons fait l'amour qu'une seule fois…

— Ce sont des choses qui arrivent, tu sais.

— Et c'est pour cela que… tu as voulu venir vivre dans le coin ?

— Pas seulement. J'en ai brusquement eu assez de la vie que je menais. Et puis, j'ai pensé que je ne pouvais pas priver notre enfant de ta présence. Mais je ne voulais surtout pas non plus t'imposer plus d'intimité en venant vivre sous ton toit.

Will paraissait à la fois rassuré et agacé par sa délicatesse. Elle se hâta de poursuivre.

— Je ne veux pas que tu m'épouses parce que j'attends un enfant de toi, comme tu l'as fait avec Julia. J'ai acheté cette maison pour vivre près de toi en te laissant ta liberté.

— Izzy… si je veux t'épouser, toi, c'est parce que je t'aime ! Combien de fois dois-je te le répéter ? Je t'ai toujours aimée !

Je n'avais qu'une peur, celle de te perdre une deuxième fois !
J'ai cru en mourir !

— Mais… et l'enfant ?

— Je l'aimerai aussi, bien sûr ! Est-ce que tu en doutes ?

Il posa doucement la main sur son ventre.

— Je l'aime déjà.

Izzy refoula des larmes de joie.

— Mais alors… que ferons-nous de la maison ?

— Pourquoi pas notre refuge ?

Elle le regarda d'un air surpris.

— Pourquoi un refuge ?

— Notre repaire, si tu veux ! Quand nous en aurons assez
d'entendre les enfants brailler, quand nous voudrons retrouver
un peu d'intimité, nous aimer tous les deux, tranquilles, loin de
tout… nous viendrons ici dans notre petit nid d'amour !

— Oh, c'est vraiment une idée extraordinaire ! dit-elle en
riant.

— J'espère que la famille et les animaux nous en laisseront
le temps, ajouta-t-il avec malice.

Elle hocha la tête.

— Nous pourrons organiser ton travail autrement pour que
tu aies des moments de loisir. Justement, j'ai eu quelques idées
pour la ferme…

Elle se tut. Il ne fallait pas gâcher cet instant avec des consi-
dérations d'ordre pratique.

— Oh, je t'expliquerai tout ça plus tard, dit-elle en se blot-
tissant amoureusement contre lui.

Il lui prit la main et l'entraîna vers la maison.

— Viens, nous allons imaginer comment installer notre petit
paradis à deux, dit-il d'un air ravi.

Le nouveau visage
de la collection Or

◆

AMOURS D'AUJOURD'HUI

Afin de mieux exprimer sa modernité et de vous séduire encore davantage, votre collection Or a changé de couverture et de nom depuis le 1er mars 1995.

Rassurez-vous, les romans, eux, ne changent pas, et vous pourrez retrouver dans la collection **Amours d'Aujourd'hui** tous vos auteurs préférés.

Comme chaque mois, en effet, vous y attendent des héros d'aujourd'hui, aux prises avec des passions fortes et des situations difficiles...

COLLECTION
AMOURS D'AUJOURD'HUI :
Quand l'amour guérit des blessures de la vie...

Chère lectrice,

Vous nous êtes fidèle depuis longtemps?
Vous venez de faire notre connaissance?

C'est pour votre plaisir que nous avons
imaginé un rendez-vous chaque mois
avec vos auteurs préférés, vos
AUTEURS VEDETTE dans les
collections Azur et Horizon.

Les **AUTEURS VEDETTE** vous
donneront rendez-vous pour de
nouveaux livres vedette.

Pour les reconnaître, cherchez
l'étoile... Elle vous guidera!

Éditions Harlequin

HARLEQUIN

LE FORUM DES LECTEURS ET LECTRICES

CHERS(ES) LECTEURS ET LECTRICES,

VOUS NOUS ETES FIDÈLES DEPUIS LONGTEMPS?

VOUS VENEZ DE FAIRE NOTRE CONNAISSANCE?

SI VOUS AVEZ DES COMMENTAIRES, DES CRITIQUES À
FORMULER, DES SUGGESTIONS À OFFRIR, N'HÉSITEZ
PAS… ÉCRIVEZ-NOUS À:
        LES ENTERPRISES HARLEQUIN LTÉE.
        498 RUE ODILE
        FABREVILLE, LAVAL, QUÉBEC.
        H7R 5X1

C'EST AVEC VOS PRÉCIEUX COMMENTAIRES QUE NOUS
ALLONS POUVOIR MIEUX VOUS SERVIR.

DE PLUS, SI VOUS DÉSIREZ RECEVOIR UNE OU
PLUSIEURS DE VOS SÉRIES HARLEQUIN PRÉFÉRÉE(S)
À VOTRE DOMICILE, NE TARDEZ PAS À CONTACTER LE
SERVICE D'ABONNEMENT; EN APPELANT AU
(514) 875-4444 (RÉGION DE MONTRÉAL) OU 1-800-667-4444
(EXTÉRIEUR DE MONTRÉAL) OU TÉLÉCOPIEUR
(514) 523-4444 OU COURRIER ELECTRONIQUE:
AQCOURRIER@ABONNEMENT.QC.CA OU EN ÉCRIVANT À:
        ABONNEMENT QUÉBEC
        525 RUE LOUIS-PASTEUR
        BOUCHERVILLE, QUÉBEC
        J4B 8E7

MERCI, À L'AVANCE, DE VOTRE COOPÉRATION.

BONNE LECTURE.

HARLEQUIN.

VOTRE PASSEPORT POUR LE MONDE DE L'AMOUR.

COLLECTION HORIZON

Des histoires d'amour romantiques qui vous mènent au bout du monde!

Découvrez la passion et les vives émotions qu'apportent à la Collection Horizon des auteurs de renommée internationale!

Captivantes, voire irrésistibles, ces histoires d'amour vous iront assurément droit au coeur.

Surveillez nos trois nouveaux titres chaque mois!

69 L'ASTROLOGIE EN DIRECT
TOUT AU LONG
DE L'ANNÉE.

(France métropolitaine uniquement)
Par téléphone 08.92.68.41.01
0,34 € la minute (Serveur SCESI).

Composé et édité par les
éditions Harlequin
Achevé d'imprimer en août 2005

BUSSIÈRE
GROUPE CPI

à Saint-Amand-Montrond (Cher)
Dépôt légal : septembre 2005
N° d'imprimeur : 51881 — N° d'éditeur : 11516

Imprimé en France